FRENCH CLASSICS

General Editor: EUGÈNE VINAVER

Paul Verlaine

FÊTES GALANTES
LA BONNE CHANSON
ROMANCES SANS PAROLES

avec introduction et notes de

V. P. UNDERWOOD

ÉDITIONS
DE L'UNIVERSITÉ DE MANCHESTER

© V. P. UNDERWOOD

Published by the University of Manchester at
The University Press
316–324 Oxford Road, Manchester M13 9NR

First published 1942
Reprinted 1947 *and* 1955
Second, revised, edition, 1963
Reprinted with minor corrections 1970

ISBN 0 7190 0164 1

Printed in Great Britain by Butler & Tanner Ltd, Frome and London

FÊTES GALANTES

INTRODUCTION

Les trois recueils qui composent le présent volume comptent parmi les œuvres les plus homogènes de Verlaine et marquent, par étapes successives, l'ascension du rimeur des *Poèmes Saturniens* vers l'apothéose de *Sagesse*, chef-d'œuvre du génie mûri par la souffrance.

Tout comme les *Poèmes Saturniens*, les *Fêtes Galantes* sentent encore le calque, mais un calque dégagé, d'une unité artistique plus complète. Le masque parnassien s'y mue en domino Louis XV, lequel n'arrive plus à dissimuler le visage du poète. Toutefois, le cadre qui les contient procède de cette arlequinade italienne dont l'influence n'était pas sans exemple dans la poésie d'alors, témoin la *Rocaille* et le *Carnaval de Venise* de Gautier, la *Fête chez Thérèse* de Hugo, certaines pièces de Banville et de Glatigny; Baudelaire lui-même, héros du jeune Verlaine, n'y fut pas indifférent.

Qu'est-ce donc qui poussa Verlaine à reprendre un thème aussi usé? A en croire Lepelletier,[1] son biographe et ami, qui rapporte que les livres d'histoire firent partie de ce «salmigondis» des premières lectures de Verlaine, notre poète aurait toujours eu le goût du passé. La *Nuit du Walpurgis Classique*[2] fait déjà allusion à un *jardin de Lenôtre*, à un *Watteau rêvé par Raffet*, indice d'une prédilection évidente pour le XVIIIe siècle dont l'ironie légère, la grâce poudrée, le scepticisme élégant

[1] *Paul Verlaine*, 1907, pp. 74 et suiv.
[2] *Poèmes Saturniens.*

répondaient fort au goût du jeune homme parvenu à l'âge du cynisme et du libertinage.

On sait la faveur dont jouissait l'époque du Bien-Aimé au moment où paraissait, entre 1859 et 1865, l'*Art du dix-huitième siècle* des Goncourt. Le jeune Verlaine, grand hanteur de cafés et de salons littéraires et sensible à toutes les impressions, dut souvent s'attarder, en parcourant ces fascicules pittoresques, aux pages qui décrivaient, dans les toiles de Watteau, la *féerie* et les *visions enchantées*, les *royaumes shakespeariens* et les *bois galants*. «C'est Cythère, mais c'est la Cythère de Watteau... C'est l'amour poétique, l'amour qui songe et qui pense, l'amour moderne, avec ses aspirations et sa couronne de mélancolie. Oui, au fond de cet œuvre de Watteau, je ne sais quelle lente et vague harmonie murmure derrière les paroles rieuses; je ne sais quelle tristesse musicale et doucement contagieuse est répandue dans ces *fêtes galantes*.» Ce passage des Goncourt, en même temps qu'il présage le caractère du recueil de Verlaine, ne semble-t-il pas en appeler le titre?[1]

Cinq ans avant l'*Art du XVIIIᵉ siècle*, Ch. Blanc avait fait paraître les *Peintres des Fêtes Galantes*: Watteau, Lancret, Pater, Boucher. Des toiles de Watteau avaient été exposées à Paris ou figuraient aux collections des musées.[2]

Lepelletier parle bien des «visites fréquentes et passionnées» de son ami à la galerie Lacaze; mais comme celle-ci ne s'ouvrit que quinze mois après la publication des *Fêtes*, on ne voit guère comment la muse du poète y aurait pu cueillir quelque inspiration. Par contre, Verlaine a très vraisemblablement erré

[1] Dans ses *Poètes Maudits* (1884), Verlaine donnera aux *Fêtes Galantes* le titre pseudonymique de *Pour Cythère*.

[2] L'*Embarquement pour Cythère* se voyait déjà depuis longtemps au Louvre. Mais Verlaine connaît sans doute Watteau par l'intermédiaire de gravures comme celles des albums Jullien, Dinaux.

à travers le fin siècle sous la conduite de Blanc et des Goncourt et en a tiré parti, au point qu'un critique[1] a pu dire avec quelque raison du recueil des *Fêtes Galantes* que c'est du «Watteau rêvé par Verlaine».

On n'a probablement pas fait suffisamment cas, sous le chapitre «influences», du peintre provençal, Monticelli, dont l'œuvre (que Verlaine admire) comporte mainte dame «galante», des bals *tournoyants*.

Ne pourrait-on y discerner, d'autre part, une influence directe de Hugo? La *Fête chez Thérèse*[2] est le seul poème d'un auteur notoire que Lepelletier ait jamais entendu réciter à Verlaine, lequel, en effet, n'avait pas «grande mémoire récitante». Les vers de Verlaine sont, sans doute, plus souples, moins largement rythmés que les alexandrins de Hugo, mais quelque chose de l'atmosphère rêveuse et colorée de la *Fête* s'est glissé dans les *Fêtes Galantes*. Ainsi, si chez Thérèse, on voit des *Amyntas rêvant auprès des Léonores, Colombine dormant dans un coquillage, parmi les ornements sculptés dans le treillage,* ou encore, à la tombée du jour, les *folles qui, en riant, entraînèrent les sages,* ce genre d'évocations se rencontrera à chaque pas dans les vers verlainiens. Mais alors que la *Fête* hugolienne, déroulée en plein jour, n'arrive au clair de lune *bleu* que pour s'y éteindre, les *Fêtes Galantes* s'ouvrent d'emblée sur le *calme clair de lune triste et beau*; d'où une impression de nostalgie rêveuse et de vague intérieur tout à fait absente de la *Fête chez Thérèse*. A la *Lettre* des *Chansons des Rues et des Bois*, la dette de Verlaine est, en outre, incontestable:

> *Le paysage est plein d'amantes,*
> *Et du vieux sourire effacé*

[1] M. P. Martino, *Verlaine*, ch. IV.
[2] *Les Contemplations.*

> *De toutes les femmes charmantes*
> *Et cruelles du temps passé...*

Cette fois, la matière se retrouve entière chez Verlaine (il a lui aussi une *Lettre*), mais métamorphosée, et comme subtilisée par sa «manière». Et c'est pourquoi le poète des *Fêtes Galantes* ne se garda point d'envoyer — malgré l'analogie et l'emprunt — un exemplaire de son recueil à Victor Hugo, à titre d'hommage.

A l'époque des *Contemplations*, un autre recueil parut où Verlaine avoue avoir pris une part d'inspiration: les *Vignes Folles* de Glatigny. On y trouvait, entre autres, une *Cythère mélancolique*, un *rêve amoureux* qui...*s'extasie sous les arbres du grand Watteau*, de *belles ombres galantes*, qui *reviendront par un beau clair de lune*, une *folle mascarade* de *sylvains*, de *marquis*, de *Dorimènes*, de *Léandres*, composant un véritable *Walpurgis*. Des cordes du même timbre résonnent dans les *Flèches d'Or*, recueil de Glatigny paru trois ans avant les *Fêtes Galantes*.

Nous avons mentionné les *Variations sur le Carnaval de Venise*. Là aussi, Verlaine semble avoir puisé des éléments: *gammes*, *trille extravagant*, *clair de lune sentimental*, *l'eau qui pleure dans un bassin*, *rêve presque effacé*, tous motifs traités per Gautier avec un sensualisme et une malignité inconnus à Hugo, mais qui, dans l'œuvre de Verlaine, iront en s'affinant et se précisant.

Il ne serait peut-être pas trop osé de distinguer çà et là chez Verlaine certains rappels de Shakespeare que le poète admirait de longue main et dont l'œuvre lui était accessible dans les nombreuses traductions datant de sa jeunesse.[1] Lui-même, à un moment donné, s'était cru de taille à affronter, avec le con-

---

[1] Notamment celles de Laroche, de Fr. V. Hugo, de Meurice, de Deschamps.

cours de Coppée, une traduction du *Roi Lear*.[1] Mais de l'«immense» poète, il était d'humeur à goûter non pas tant les drames que les féeries et les pastorales à lui révélées sans doute par la lecture de *Mademoiselle de Maupin*.

Déjà jeune bachelier de dix-huit ans, il aimait à errer dans «deux bois pas grands à la vérité, mais charmants... Ils pourraient, nous dit-il, servir de décor... à ces admirables féeries du grand William où l'on voit voltiger Obéron et Titania, où la Rosalinda tourmente si gracieusement son Orlando, où les arbres produisent des sonnets et où des madrigaux poussent comme des champignons...».[2] Dans l'été même qui précéda la publication des *Fêtes*, Verlaine s'était précisément aventuré dans ces «boys»[3] dont le décor, ainsi que les détails shakespeariens, le préoccupèrent assez pour venir s'insérer chez lui dans un cadre français. Un mélange de pastorale et d'air dix-huitième siècle apparaît également dans *Les Uns et les Autres* qui datent de la même époque.

Mais ce n'est pas tout que d'assigner au recueil verlainien des antécédents littéraires et esthétiques. C'est la façon vraiment neuve dont le poète traite ces thèmes connus qu'il convient principalement de mettre en évidence. Les *Poèmes Saturniens*, trop bien martelés sur l'enclume parnassienne, rendaient déjà une sonorité propre. Les *Fêtes Galantes*, malgré leur objectivité apparente, affirmèrent d'un coup le lyrisme spécial à Verlaine: légèreté mélancolique, ironie familière, lasciveté voilée, qualités qui seront désormais constantes dans l'œuvre du poète, avec, en amalgame, quelque chose de fuyant, de subtil et d'enfantin à la fois.

[1] Cf. V. P. Underwood, *Verlaine et Coppée, traducteurs de Shakespeare* (*Nouvelles Littéraires*, 14 janv. 1939).

[2] *A Lepelletier*, 4 oct. 1862 (*Corr.* t. I. p. 8).

[3] Lettre à Coppée, dans Porché, *Verlaine tel qu'il fut*, p. 90.

Le mot d'enfant revient souvent sous la plume des amis de «Lelian». Dans ses pommettes saillantes, ses yeux bridés, son front bombé et ses oreilles pointant sous l'ébouriffement des cheveux, on avait coutume de lui voir un air de faune. Plus âgé, il fera penser à Socrate, sinon à Silène. Disons plutôt qu'entre vingt et vingt-cinq ans, le poète figurait un gnome échappé de quelque bois galant et qui eût couru les guinguettes et les fêtes champêtres.

Mais la timidité résultant de son «gueusard de physique» ne lui permettait guère d'entrevoir autre chose que la façade de l'amour, alors que sa sensibilité, aiguë à l'excès, lui en faisait ressentir les frissons. Du «fond de son retrait», il lui arrivera plus d'une fois d'envier ces amoureux *fantasques* qui *n'ont pas l'air de croire à leur bonheur*. Ses aspirations étaient grandes comme les leurs; c'est pourquoi ses tourments — ceux de la solitude — s'apaiseront en rires et, à défaut de sanglots, en caricatures. Sa «tête camuse» le faisait repousser. Il n'en chercha pas moins avec une ardeur inlassable la femme idéale de son *rêve étrange et pénétrant*. En même temps qu'il peuplait les bois de Lécluse des spectres d'Orlando et de Rosalinda, il lui advint de danser dans un bal de village avec quelque Parisienne. L'aventure, rapportée à l'ami Lepelletier, resta sans suite.

La note de désespoir qui vibre dans les *Fêtes Galantes* — surtout à la fin du recueil — n'est pas tout artificielle. Elle transpose cette phase de sa vie où le poète, alors employé à l'Hôtel de Ville sans doute par une sorte de concession aux usages, laissait son chapeau seul faire acte de présence au «bural», pendant que sa fantaisie le poussait aux folles évasions dans le parc enchanté, où il promenait en outre et peut-être surtout le deuil de son grand amour: sa cousine Elisa, cette «sœur aînée» qui avait payé l'impression des *Poèmes Saturniens*, était morte (mariée à un autre) en février 1867 — au moment même où avaient paru dans la *Gazette rimée* deux premières *Fêtes galantes*.

★ ★ ★

Trois mois après la publication des *Fêtes Galantes*, Verlaine croisa, sur le chemin de la grâce, la *petite Fée* qui lui promettait le bonheur. Au cours d'une visite rue Nicolet, à Montmartre, chez le compositeur Charles de Sivry, ami du poète, une jeune fille *en robe grise avec des ruches* vient frapper à la porte. C'est Mathilde Mauté, sœur utérine du musicien. Seize ans. Verlaine en a vingt-cinq. Le frère la présente. Elle avoue «aimer beaucoup les poètes». Les vers de Verlaine, que son frère lui a fait lire, sont «peut-être trop forts» pour elle; mais ils lui plaisent quand même, et elle croit se souvenir du poète lorsque, deux ans plus tôt, il avait tenu, pour l'unique fois de sa vie, un rôle de ténor dans une saynète-bouffe de Lepelletier, musique de Sivry. Fut-ce le simple hasard qui, ce soir-là, amena la jeune Mathilde chez son frère?

Pour Verlaine, un peu las d'une vie de dissipations, cette apparition de la *jeune fille dans la gloire rose de sa mystérieuse candeur* fut le «coup de foudre». Attablé au café avec l'ami de Sivry, il provoque son «estomirement» en ne commandant plus d'absinthe. Pour une fois, sa laideur paraît ne point rebuter une aimable créature. Il se persuade que c'est là *la compagne qu'enfin il a trouvée*, et, avisant ses amis qu'il est «très souffrant subitement», il s'éclipse à Fampoux pour promener son agitation à travers champs. Il tâche, un soir, de la dissiper parmi les tentations d'Arras, mais le charme avait opéré… Le lendemain matin, à la suite d'une «cuite» peu ordinaire, il écrit à Sivry pour lui demander tout de go la main de sa sœur. Demande plutôt déplacée en tant que faite à un frère; mais la réponse le laisse espérer. Dès ce moment naît l'idée de la *Bonne Chanson*, et la composition commence.

Verlaine revient à Paris. Il apprend que Mathilde est partie en lui laissant, pour tout viatique, des recommandations de sagesse et de patience. Pendant deux mois, l'absence s'avère pour le jeune poète *le moins clément de tous les maux*; mais Sivry, bon ami, veut bien se charger de la correspondance de l'amoureux *impatient des mois...*, ainsi que des réponses de sa sœur, flattée, comme il convient, de se voir l'inspiratrice des jolis vers que lui apporte le courrier.

Enfin la *fiancée* rentre. Tous les soirs, quelque temps qu'il fasse, à travers *le bruit des cabarets, la fange du trottoir*, Verlaine prend le chemin de Montmartre *avec le paradis au bout*. On tergiverse; la famille le tient en haleine. Petit fonctionnaire et poète qui publie à ses frais, ce fils de famille n'est tout de même pas un parti à dédaigner; d'autant que les Mauté de Fleurville, malgré leur «noblesse», ne donneront pas de dot à Mathilde. Mais Mathilde est très jeune; il faut le temps de se connaître. Bref, les fiançailles sont fixées pour l'automne, et le mariage pour le mois de juin suivant. Quand le jour approche enfin et que la *Bonne Chanson* — cadeau de noces — est sous presse, la malchance s'en mêle: la fiancée attrape la petite vérole. Elle n'est pas plutôt convalescente que sa mère tombe victime de la contagion. Le mariage est, cette fois, renvoyé au mois d'août, quoique la guerre menace. Pour tromper son attente, des amis emmènent Verlaine en Normandie. A son retour, la France chancelle sous les désastres. Les hommes non mariés de sa classe sont appelés. Même marié, Verlaine serait affecté à la garde mobile. Coûte que coûte, il faut dépêcher cette union qui sera enfin célébrée le 11 août.

Voilà les faits principaux dont la *Bonne Chanson* représente le journal poétique, réunissant la majeure partie des «presque improvisations» glissées *en catimini* à la bien-aimée. Elles n'y sont pas toutes, car quelques-unes en auraient été égarées. Certaines autres, exprimant trop clairement ce que Verlaine attendait de l'amour, furent exclues de la mince plaquette dont, le 5 juillet, un exemplaire de luxe fut remis à Mathilde. «Ces pièces sacrifiées, dira plus tard l'auteur, valaient certainement les autres, et j'en suis à me demander pourquoi cet ostracisme... puritain peut-être»[1].

Ce sont donc les émotions de l'absence, les retards et les doutes, les espoirs d'une histoire d'amour à apparence banale, qui furent à l'origine de ce petit chef-d'œuvre. S'il est dans l'ordre des choses qu'un fiancé se plaigne de la lenteur du bonheur à venir, il faut admettre que dans le cas de Verlaine, ses doléances avaient quelque justification. Aussi l'amoureux ne trouva-t-il rien de mieux que de recourir au moyen classique: confier sa peine au papier qu'il adressait ensuite à l'objet de ses vœux. La petite Mathilde dut être la plus heureuse des fiancées, puisque les billets qu'elle recevait furent — chose peu commune en français — des hommages à la jeune fille de qui on attend le salut. Et dans ces vers sincères au langage volontiers familier, l'accent intime, discret, susurré, très différent des sonorités contemporaines, se dégage plus sensiblement que dans les *Fêtes Galantes*.

Mais la *Bonne Chanson* représente autre chose qu'un épithalame que sauverait de la platitude le seul talent de l'auteur. Ces vers contiennent, sous une apparence naïve, un drame réel, de caractère essentiellement moderne. Pour la première fois, on voit s'engager entre le dipsomane taré sujet aux emportements et aux sarcasmes, et l'homme racheté qu'il rêve de devenir; entre le Saturnien sensuel et l'époux chaste prêt à lui faire

[1] *Confessions* (1895), ch. IX. Les trois *Vieilles Bonnes Chansons*, publiées là pour la première fois, donnent un spécimen du genre.

place; entre le «porc» abject, pour parler le langage de Rimbaud, et le poète divin qui habite le même corps, on voit s'engager, disions-nous, une lutte opiniâtre dont les phases transparaissent dans chacune des pièces du recueil. L'enjeu de ce drame mystique est la jeune fille aimée, destinée à devenir non seulement la compagne, mais la protectrice. Elle sera enfin, dans le cadre du mariage, l'être idéal qui *aimera* et *comprendra* le Saturnien de jadis:

> *Car elle me comprend, et mon cœur transparent*
> *Pour elle seule, hélas! cesse d'être un problème...*

Le dénoûment désiré, c'est la disparition du vieil homme, l'ordre «bourgeois»: vie simple, droite, étroite dont Verlaine gardera toute sa vie la nostalgie et qui unirait dans une foi gaie la somme de *deux* courages qui ne seront pas de trop pour affronter les épreuves du *temps affreux*.

Pendant toute la durée des fiançailles, Verlaine s'efforça de se réformer. On le vit chaste, abjurant l'alcool, ne courant plus les cafés, n'apportant plus à sa mère ni à sa fiancée l'épouvantable relent de l'absinthe. «Je veux La mériter, écrit-il à l'ami Lepelletier.» Comme on le voit, le moment de la *Bonne Chanson* fut un moment *bon*. D'instinct, le poète avait trouvé pour son livre le titre le plus juste.

* * *

Mais après la *Bonne Chanson*, la mauvaise. Verlaine n'était décidément pas fait pour passer ses jours à *chanter des airs ingénus* à la *lueur étroite de la lampe*. De son côté, Mathilde n'avait ni intelligence suffisante pour comprendre son mari ni caractère vigoureux pour le transformer. A cet égard, plus d'un s'est demandé si le mariage de Verlaine avec une autre femme — sa cousine Elisa, par exemple, qui n'avait cessé d'exercer sur lui un ascendant incontestable — n'aurait pas plus sûrement opéré le miracle. Mais qui sait si du point de vue littéraire, cette entrée du poète dans les rangs nous eût valu les compositions qui suivirent la *Bonne Chanson* mais ne la continuèrent pas?

Le mariage ne réforma point Verlaine. A peine la première ivresse passée, le désaccord se déclara entre les époux, et le mari, en qui la mémoire des anciennes pratiques n'était pas morte, ne tarda pas à obéir à leur appel.

Un nouvel élément de trouble, arrivé cette fois de province, vint mettre le comble à cet ébranlement du foyer, un an à peine après son édification. Arthur Rimbaud, riche de ses dix-sept ans et du manuscrit du *Bateau Ivre*, débarqua, un soir, chez Verlaine.

Cet adolescent négligé, aux manières sciemment grossières et qui avait roulé sur tous les chemins *en égrenant des rimes*, en-voûta littéralement son aîné, en établissant sur sa mollesse innée une domination physique, morale et littéraire que celui-ci ne put jamais secouer. Oubliés désormais la *sainte en son auréole*, les devoirs d'un époux, d'un père et d'un fils. Verlaine se met à battre sa femme et son enfant. La passion malheureuse que lui inspire Arthur, le ressentiment avoué de sa belle-famille, ajoutés à une sorte de méfiance et à la nostalgie de l'évasion lui dictent bientôt — juillet 1872 — d'abandonner son foyer pour mener avec son fascinateur ces folles équipées à travers les Flandres et la Belgique où les griffes de la police française risquaient moins de menacer ce mauvais mari et son garnement de com-pagnon. L'allégresse du couple est alors à son comble: «Je *voillage* vertigineusement, annonce Verlaine. Ecris-moi par ma mère qui sait à peine mes adresses, tant je *voillage*... psitt! psitt! — Messieurs, en wagon!»[1]

---

[1] *A Lepelletier*, juill. 1872 (*Corr.* t. I, p. 37).

Pour une fois, Mathilde essaie de ramener son mari à une conduite normale. Apprenant que Verlaine s'est arrêté à Bruxelles, elle y court aussitôt. L'amour de l'époux est, croit-elle, ravivé. Elle réussit à le repêcher et à lui faire prendre le train de Paris. A la frontière, Verlaine descend pour la visite de la douane. Soudain, le voilà qui reparaît pour déclarer, en enfonçant son chapeau d'un brusque coup de poing: «Je reste.» Le lendemain, Madame Paul Verlaine recevait le billet suivant: «Miserable fée Carotte, princesse Souris....[1] vous avez peut-être tué le cœur de mon ami! Je rejoins Rimbaud, s'il veut encore de moi après cette trahison que vous m'avez fait faire.»

Voilà de quoi se compose la trame de *Birds in the Night* et autres musicales *Romances*.

Dans l'été de 1872, Verlaine et Rimbaud courent les routes et les tavernes de Belgique, grands gouailleurs, mystificateurs de bourgeois et de paysans, soûls de tous les alcools, défiant toute loi, toute morale, par goût ou par système, selon qu'il s'agit de Verlaine ou de Rimbaud, avides de toutes les sensations, quêteurs d'air frais et d'hallucinations. Or, ce ne sont pas là deux aventuriers ordinaires. L'un et l'autre sont gens cultivés, poètes doués, ouverts à toutes les impressions. En battant la campagne, ils apprécient le charme des paysages, le pittoresque des villes, s'intéressent aux villages. A la table des tavernes, ils discutent art et poésie. Verlaine est peu érudit; Rimbaud lui révèle des poètes et des procédés. Puis ils vont glanant dans les librairies et les bibliothèques. Ce genre de distraction enchante Verlaine qui, semble-t-il, n'y avait point

[1] Appellation de conte de fées qu'au doux temps des fiançailles, Verlaine appliquait à l'aimée. Pour elle, il était le prince Galaor. Cf. *Læti et errabundi* (*Parallèlement*).

été initié. Curieux de découvrir quelque poète du terroir, ils apprennent qu'un Van Hasselt — tel autrefois Baïf — s'essayait à écrire en français des vers «rythmés». Cette tentative n'est point décriée, du moins par Verlaine. «Très curieux, commentera-t-il, ça se scande. Comme le rhythme fait de ce fatras rance une jolie chose!»[1]

Dans leur culte de la nouveauté, les deux poètes s'installent pour écrire. Verlaine esquisse des *Paysages Belges* très différents de ceux qu'il avait tracés jusqu'ici. Il les traite, cette fois, d'après nature, au sein d'émotions contradictoires nées de la liberté, de l'intimité du joyeux compagnon et de la privation de la femme qu'il aime toujours et à laquelle il ne pense pas sans remords. Ces paysages, il les définira «une série d'impressions vagues, tristes et gaies, avec un peu de pittoresque presque naïf».[2]

A l'approche de l'automne, pour des motifs «d'un genre plutôt frivole», les deux amis s'embarquent pour l'Angleterre, *terra incognita* dont ils savent mal la langue et les coutumes. L'idée dut venir de l'auteur du *Bateau Ivre*, sur qui pesait la *malédiction de n'être jamais las*. Voyager en compagnie de l'ami souriait à Verlaine: la traversée était aussi rapide que de nos jours, et le prix du passage guère plus élevé. D'ailleurs, il était temps de changer de climat, car la Belgique commençait à regarder de travers ces deux maraudeurs. A Londres, par contre, dont l'immensité abritait plus d'un ancien ami: communards exilés, artistes en rupture de ban, etc., on se sentirait plus à l'aise. Sans compter l'appât des alcools inconnus et toutes les promesses de l'étrange dans les domaines esthétique et moral.

Au début, tout se passa bien. «Très chercheur», Verlaine

[1] *A Blémont*, 24 juin 1873 (*Corr.* t. I, p. 320).
[2] *A Blémont*, 5 oct. 1872 (*Corr.* t. I, p. 300).

trouve la capitale anglaise «moins triste que sa réputation».
Avec Rimbaud, il parcourt la ville, curieux de tout, visitant
tout, endroits célèbres et lieux suspects, stationnant aux bars,
tantôt ébahi, tantôt railleur. Si les premières impressions de
Londres furent parfois défavorables, Verlaine lui reconnut,
par la suite, des beautés d'un genre où d'autres n'en auraient
vu aucune: la Tamise, «immense tourbillon de boue»; «un
soleil couchant vu à travers un crêpe gris»; «les rangées de
bâtisses noirousses»; «les interminables docks» qui suffisent à sa
«poétique de plus en plus *moderniste.*»[1]

C'est Verlaine qui écrit, mais on devine que c'est Rimbaud
qui pense. Tout à la tâche de créer du nouveau et hanté par la
recherche de l'absolu dans le «dérèglement de tous les sens»,
Rimbaud est en ce moment pris, disons mieux «illuminé» par
certaines visions qu'il enregistre dans la *Saison en Enfer*, les
Illuminations. Verlaine, lui, est plus faible et superstitieux. Bien
que curieux de nouveautés, il n'ose trop s'aventurer dans ces
régions ténébreuses; mais il suit son ami dans les bibliothèques,
en quête du peu connu littéraire. En mars 1873, ils se font
délivrer des cartes de lecteur au British Museum, et les voilà
abordant Poe dans le texte, non sans s'aider toutefois des traductions faites par le poète que Rimbaud tenait pour «le premier voyant», l'immortel auteur des *Fleurs du Mal*. Verlaine
ne ménage pas les railleries sur les «puérilités» du poète améri-
cain: allitérations, répétitions, rimes intérieures... dont lui-
même jusque-là avait largement usé, mais qui lui paraissent à
présent trop artificielles. Il n'en convient pas moins que ce
«malin» de Poe est «aussi pittoresque que possible».[2]

Un autre grand poète est révélé par Rimbaud à Verlaine:
Marceline Desbordes-Valmore, dont le lyrisme sincère et les

[1] *A Lepelletier*, 24 sept. 1872 (*Corr.* t. I, p. 46).
[2] *A Lepelletier*, 16 mai 1873 (*Corr.* t. I, p. 98).

hardiesses prosodiques le séduisent. «Tous les vers de cette femme sont... larges, subtils aussi — mais si vraiment touchants — et un art inouï!»[1] Il signale, en outre, à son correspondant les expériences rythmiques de Van Hasselt. Cela indiquerait qu'il commençait à *sentir* le vers anglais, puisque «ça se scande» également. Et il affirme pouvoir lire Swinburne «presque couramment».

A parcourir les biographies de Verlaine, on serait tenté de croire que les deux poètes passaient leur temps à Londres en distractions et en soûleries, quand ils ne se livraient pas à d'ignobles empoignades. La lecture leur prenait tout de même un peu de temps, leurs propres écrits aussi. Or, dès les premiers jours, Verlaine compose ou met au propre les fruits poétiques de sa fugue, «vers nouveau modèle, très bien».[2] Ce sont des *paysages belges* avec «quelque chose comme la *Bonne Chanson* retournée», qu'il compte dénommer la *Mauvaise Chanson*. Quatre semaines après son arrivée à Londres, son «petit volume» est, pense-t-il, achevé, et le titre trouvé. Il l'appellera *Romances sans paroles*.

Aidé de Rimbaud, Verlaine se rend compte à présent de la portée de ce titre qui reprenait un vers de ses *Fêtes Galantes*, emprunté lui-même à Mendelssohn. Mais alors que le musicien avait entendu exprimer par des notes ce qu'on a coutume de définir par des mots, Verlaine, au rebours, cherchait à fixer par les mots des sensations d'ordre musical. C'est là le facteur d'unité qui prétendait conjoindre les éléments apparemment disparates des *Romances*.

[1] *A Blémont*, 24 juin 1873 (*Corr*. t. I, p. 319).
[2] *A Lepelletier*, sept. 1872 (*Corr*. t. I, p. 40). Cette lettre, ainsi que certaines autres, ont été mal datées par l'éditeur de la *Correspondance*. Pour une mise au point chronologique, voir notre *Chronologie des lettres anglaises de Verlaine* dans la *Revue de Littérature comparée*, 1938.

Ce fut donc au cours de l'été de 1872, parmi toutes les exaltations de la volupté, de la fureur et du désespoir, que le génie qui habitait cet être lamentable parvint à la deuxième étape de son évolution littéraire. Avec *Escarpolette*, achevée à Londres avant le 22 septembre, au moment où la génération des symbolistes était à peine née et alors que Mallarmé en était encore à la conception parnassienne, Verlaine avait, d'un élan, touché l'extrême limite de l'intelligible et du musical. Il y a même des *Romances* où la mélodie verlainienne ne se soucie plus de vouloir dire quelque chose.

Mais dans le «phalanstère», tout n'est pas que fête et poésie. Verlaine aime toujours sa femme, bien qu'à sa manière. Le scrupule le ronge, scrupule jamais tu en entier, comme on le voit aux alternances de bassesse et de repentir, aux luttes et aux évasions du poète. En plein cœur de Londres, il se sent privé de l'héroïne de la *Bonne Chanson*, ce qui le plonge par intervalles dans une immense tristesse:

> *O triste, triste était mon âme*
> *A cause, à cause d'une femme...*

Bientôt cette tristesse se répand en plaintes, auxquelles se mêlent des excuses et des raisonnements qui, par un phénomène connu, lui font rejeter toute la culpabilité sur sa femme et crier sans doute très sincèrement: «C'est moi le quitté.» Et alors, il veut bien se laisser toucher de pardon et de pitié:

> *Vous n'avez pas eu toute patience;*
> *Cela se comprend par malheur, de reste...*
> *Aussi, me voilà plein de pardons chastes...*
> *Bien que je déplore en ces mois néfastes*
> *D'être, grâce à vous, le moins heureux homme.*

Il va même jusqu'à pardonner à Mathilde le «piège exquis» par quoi elle avait tenté de le reconquérir à Bruxelles, pardon qui n'exclura pas, lorsqu'on ne lui répondra pas, un fiel, une ironie non moins mélodique que sa poétique clémence:

> *Vous n'avez rien compris à ma simplicité,*
> *Rien, ô ma pauvre enfant,*
> *Et c'est avec un front éventé, dépité,*
> *Que vous fuyez devant.*

Telle est la genèse de cette «*Bonne Chanson* retournée», «quelque peu élégiaque, mais, je crois, pas glaireuse,»[1] qui devait comprendre «une dizaine de petits poèmes». Ne taxons pas trop vite d'hypocrisie ces «simplicités» que Verlaine expédiait à Lepelletier, dans l'espoir qu'elles parviendraient à sa femme. Cette âme torturée et retorse à la fois pouvait-elle être autrement que sincère au moment où de tels accents frémissaient en elle?

Avec l'hiver, les crises de tristesse se firent plus nombreuses. Le temps se gâte, on est seul à seul dans le méchant garni[2] sans pouvoir sortir. Verlaine, «plein de flanelle», craint un rhume, songe à sa femme éloignée à jamais, paraît-il, puisqu'elle lui fait signifier une assignation en séparation. Rimbaud raille le spleen et les scrupules de l'ami ou garde un silence qui promet pour son *compagnon d'enfer* quelque nouveau tour diabolique. «Et puis, écrit Verlaine, il pleut, il pleut à fondre certain cœur sec que tu connais moins, hélas! que moi.»[3] Et le style de cette

---

[1] *A Blémont*, oct. 1872 (*Corr.* t. I, p. 296).

[2] 34-35 Howland Street, près de Tottenham Court Road. La maison fut démolie en 1938. Voir notre article dans les *Nouvelles Littéraires* du 1er oct. 1938.

[3] *A Lepelletier*, vers le 28 oct. 1872 (*Corr.* t. I, p. 48).

lettre, tout à tour potache, télégraphique et ordurier, de s'épandre en fin de compte en musique:

> *Il pleure dans mon cœur*
> *Comme il pleut sur la ville...*

Les amis se vexent mutuellement. Ils en sont à couteaux tirés. Les pleurnicheries de Verlaine agacent Rimbaud qui, aux premiers jours de décembre, rentre chez la Bouche d'ombre (entendez: sa mère). Une sombre mélancolie s'empare de Verlaine, en pleines réjouissances de Noël. Le voilà qui tombe malade; il se croit perdu, lance des appels à sa mère et à sa femme, et des faire-part per anticipation à ses amis. Sa mère accourt, mais non point Mathilde. On rappelle Rimbaud. Cette fois Verlaine se relève et la vie reprend son train d'autrefois.

L'affection qui lie les deux hommes n'exclut pas, toutefois, les liaisons d'un autre genre. En l'absence de Rimbaud, l'exilé trouve à ceux qui l'entourent «quelque chose de très doux, d'enfantin presque, de très jeune, de très candide». Quelque amitié féminine lui a-t-elle révélé cet aspect nouveau des habitants de l'Ile?

Afin, sans doute, de faire peur à sa femme, il dit qu'il songe à «se refaire une tranquillité et, qui sait? peut-être un ménage».[1] Nous savons qu'il est invité dans une famille anglaise pour «se bonder» de l'oie de Noël, «with apple sauce».[2] Et même, en février 1873, il annonce un déménagement et un projet de voyage à Brighton, en Ecosse et en Irlande.

Il est possible qu'à ce moment-là, quelque Kate dont les *yeux jolis* brillent dans plus d'une *Aquarelle*, jeune fille *aux longs*

[1] *A Lepelletier*, fin nov. 1872 (*Corr.* t. I, p. 82).
[2] *A Lepelletier*, 26 déc. 1872 (*Corr.* t. I, p. 80).

traits pâlis,[1] ait été, à en croire le poète, *promise* à Verlaine. La même héroïne, si ce n'est une autre, a pu également inspirer *Green, Spleen* et *Dansons la gigue*:

> *J'aimais surtout ses jolis yeux,*
> *J'aimais ses yeux malicieux...*

A moins que cette dernière pièce ne soit plutôt comme un regard en arrière vers *The Pretty One* de la *Bonne Chanson*, qui occupe toujours sa pensée, bien qu'il tâche de se persuader qu'elle est *morte à son cœur*:

> *Elle avait des façons vraiment*
> *De désoler un pauvre amant...*

Mais lorsque, au début d'avril, deux jours avant de quitter Londres, Verlaine compose ses perfidies rimées à l'adresse de Mathilde:

> *Vous n'avez rien compris à ma simplicité...*

il semble déjà remis de cette dépression de l'hiver. Il essaie même de nous faire croire que ce départ si brusque survenu peu de jours après son admission à la salle de travail du *British* était dû à une aventure galante:

> *Elle voulut aller sur les flots de la mer,*
> *Et comme un vent bénin soufflait une embellie,*
> *Nous nous prêtâmes tous à sa belle folie,*
> *Et nous voilà marchant par le chemin amer...*

Avec *Beams*, daté de la traversée du 4 avril 1873, la composition des *Romances* se trouve terminée. Mais non leur histoire.

[1] Voir *A Poor Young Shepherd*.

Dès son arrivée à Londres et avant que fût commencée la
«partie anglaise» de son livre — c'est ainsi qu'il appelle les
Aquarelles — Verlaine annonçait à ses amis la prochaine publication des *Romances*. Le titre en fut fixé vers le 23 septembre. Les presses du journal communard *L'Avenir* devaient se charger de l'impression. Longtemps Verlaine réclama à
Lepelletier, puis à Blémont, un exemplaire des *Fêtes Galantes*
pour servir de modèle. Ce fut en vain. *L'Avenir* se mourait.
Verlaine n'en déclarait pas moins à fin novembre que cette
publication, toujours imminente, serait pour janvier 1873. La
liste des pièces ne comprenait pas encore les *Aquarelles*.[1]

Il tenait surtout à voir paraître son volume avant le procès
que sa femme persistait à vouloir lui intenter, ne désirant point,
disait-il, «exploiter le retentissement-*réclâme* que ça fera». Il
engage Rimbaud et son ami Delahaye à faire des démarches
à Charleville. Enfin le 19 mai, de la frontière belge où il se
tient, par crainte de la police française, Verlaine envoie *Gustave* (c'était là le surnom de son «phâmeux manusse») à
Lepelletier, dans l'espoir que celui-ci le ferait publier à Paris.
«Gustave, nous dit Lepelletier, était écrit tout entier de la
main de Verlaine sur des feuilles de papier à lettres inégales,
cependant en général assez soignées et propres, sans dessins ni
fusées ni renvois, comme à l'ordinaire se trouvaient chargées
ses missives.»[2] L'auteur déclare que ses intentions sont «sol-
vabilité, honnêteté scrupuleuse» et «désir de publicité». Il attend de l'éditeur «modération dans les prix, crédit, s'il se
peut...» Le recueil est orné d'une dédicace à Rimbaud, à
laquelle Verlaine tient beaucoup, «d'abord comme *protesta-
tion*, dit-il, puis, parce que ces vers ont été faits lui étant là et
m'ayant poussé beaucoup à les faire, surtout comme témoi-

[1] *Corr.* t. I, p. 84.   [2] *Paul Verlaine*, p. 327.

gnage de reconnaissance pour le dévoûment et l'affection qu'il m'a témoignés toujours et particulièrement quand j'ai failli mourir. Ce procès ne doit pas me faire ingrat.»[1] Lepelletier ayant déconseillé ce défi au public, Verlaine insiste: «En quoi est-il audacieux de dédier un volume en partie d'impressions de voyage à celui qui vous accompagnait lors des impressions reçues?» Il laisse néanmoins à son ami la faculté de supprimer ou non la dédicace. Elle fut supprimée. Le rôle de Rimbaud dans l'alchimie des *Romances sans paroles* n'en reste pas moins certain. Rôle de catalyseur: «lui étant là et m'ayant poussé beaucoup...»

Il s'en fallut de peu que le livre tout entier ne fût «supprimé». Survint la chute du gouvernement Thiers. Verlaine repartit pour Londres en compagnie de Rimbaud et ne revint sur le continent que pour se faire incarcérer à Bruxelles. On sait les circonstances. Sur ces entrefaites, le journal de Lepelletier fut obligé de s'exiler à Sens. De Bruxelles, puis de Mons où il est transféré, Verlaine implore son ami de faire paraître les *Romances*. Il n'en démordait pas et passait des heures dans sa cellule à rédiger un «service de presse», avec des instructions détaillées pour les envois. Des noms célèbres y figuraient: Hugo, Banville, Leconte de Lisle, E. de Goncourt, Heredia, Mallarmé, Coppée; et pour Londres, Swinburne et le «jeune Barrère», futur ambassadeur. Faudra-t-il envoyer un exemplaire à sa femme? «J'eusse hélas! — et je parle sincèrement — préféré lui faire d'autres vers que *Birds in the Night*...» L'auteur voulait «un tirage à 300 exemplaires, format *Fêtes Galantes*. Le même papier. Couverture légèrement saumon.»[2]

Le sort en décida autrement. Lepelletier dénicha du papier

---

[1] *A Lepelletier,* 19 mai 1873 (*Corr.* t. I, p. 102).
[2] *Corr.* t. I, p. 138.

Whatman et s'arrangea avec un imprimeur sénonais pour faire composer les *Romances* en caractères italiques ne sentant pas trop la province. Des spécimens du «petit bouquin» parviennent au détenu en novembre 1873, mais c'est le 24 mars suivant qu'il reçoit les premiers exemplaires. Avec la couverture gris pâle, «ç'a un peu l'air brochure»; les coquilles y fourmillent (on n'y a même pas porté les corrections signalées), mais force lui est de s'en déclarer enchanté. La société l'a banni: quelque chose de lui au moins est en liberté.

Le recueil passa inaperçu et le gros du tirage resta en magasin. On reprend souvent à ce sujet cette déclaration de Lepelletier: «Je fis un service aux journaux très complet. Pas un ne cita même le titre du livre.» Ce service ne dut pourtant pas être aussi complet que cela, puisque M. Barrère assurera en 1938 qu'il ne reçut jamais son exemplaire.

Un bref article paru dans le *Rappel* du 16 avril 1874 sous la signature d'Emile Blémont, autre ami fidèle de Verlaine, fit exception à l'accueil muet fait aux *Romances sans paroles*. Nous croyons devoir le donner en entier à titre d' «inédit»: *«Nous venons de recevoir les* Romances sans paroles *de Paul Verlaine. C'est encore de la musique, musique souvent bizarre, triste toujours, et qui semble l'écho de mystérieuses douleurs. Parfois une singulière originalité, parfois une malheureuse affectation de naïveté et de morbidesse. Voici une des plus jolies mélodies de ces* Romances:

> Le piano que baise une main frêle
> Luit dans le soir rose et gris vaguement,
> Tandis qu'avec un très léger bruit d'aile,
> Un air bien vieux, bien faible et bien charmant
> Rôde discret, épeuré quasiment,
> Par le boudoir longtemps parfumé d'Elle.

Cela n'est-il pas musical, très musical, maladivement musical?
Il ne faut pas s'attarder dans ce boudoir.»

Le public attendit vingt ans — soit la célébrité de *Sagesse* —
pour reconnaître les mérites de cette plaquette si grosse, dans
ses dimensions réduites, de poésie et d'inattendu.

FÊTES GALANTES

music created by repetition,
internal rhymes of Debussy
& no direct statement of emotion
- Used to create music of emotions
- emotions are form of rhythm.

FÊTES GALANTES

CLAIR DE LUNE

Votre âme est un paysage choisi
Que vont charmant masques et bergamasques,
Jouant du luth, et dansant, et quasi
Tristes sous leurs déguisements fantasques.

Tout en chantant sur le mode mineur
L'amour vainqueur et la vie opportune,
Ils n'ont pas l'air de croire à leur bonheur,
Et leur chanson se mêle au clair de lune,

internal rhyme
evoking
musical
qualities

Au calme clair de lune triste et beau
Qui fait rêver les oiseaux dans les arbres
Et sangloter d'extase les jets d'eau,
Les grands jets d'eau sveltes parmi les marbres.

PANTOMIME

Pierrot, qui n'a rien d'un Clitandre,
Vide un flacon sans plus attendre
Et, pratique, entame un pâté.

x

3

Cassandre, au fond de l'avenue,
Verse une larme méconnue
Sur son neveu déshérité.

Ce faquin d'Arlequin combine
L'enlèvement de Colombine
Et pirouette quatre fois.

Change of tone from flippant to delicate.

Colombine rêve, surprise
De sentir un cœur dans la brise
Et d'entendre en son cœur des voix.

fantastic staccato effect.

Snatches of conversation & impressions.

SUR L'HERBE

L'abbé divague. — Et toi, marquis,
Tu mets de travers ta perruque.
— Ce vieux vin de Chypre est exquis
Moins, Camargo, que votre nuque.

woman.

— Ma flamme... — Do, mi, sol, la, si.
— L'abbé, ta noirceur se dévoile! *— teasing*
— Que je meure, mesdames, si
Je ne vous décroche une étoile!

— Je voudrais être petit chien! *lady : dressed as shepherdess.*
— Embrassons nos bergères, l'une
Après l'autre. — Messieurs, eh bien?
— Do, mi, sol. — Hé! bonsoir, la Lune!

4

L'ALLÉE

Fardée et peinte comme au temps des bergeries,
Frêle parmi les nœuds énormes de rubans,
Elle passe, sous les ramures assombries,
Dans l'allée où verdit la mousse des vieux bancs,
Avec mille façons et mille afféteries
Qu'on garde d'ordinaire aux perruches chéries.
Sa longue robe à queue est bleue, et l'éventail
Qu'elle froisse en ses doigts fluets aux larges bagues
S'égaie en des sujets érotiques, si vagues
Qu'elle sourit, tout en rêvant, à maint détail.
— Blonde en somme. Le nez mignon, avec la bouche
Incarnadine, grasse et divine d'orgueil
Inconscient.
                    — D'ailleurs plus fine que la mouche
Qui ravive l'éclat un peu niais de l'œil.

A LA PROMENADE

Le ciel si pâle et les arbres si grêles
Semblent sourire à nos costumes clairs
Qui vont flottant légers avec des airs
De nonchalance et des mouvements d'ailes.

Et le vent doux ride l'humble bassin,
Et la lueur du soleil qu'atténue
L'ombre des bas tilleuls de l'avenue
Nous parvient bleue et mourante à dessein.

Trompeurs exquis et coquettes charmantes,
Cœurs tendres mais affranchis du serment,
Nous devisions délicieusement,
Et les amants lutinent les amantes

De qui la main imperceptible sait
Parfois donner un soufflet qu'on échange
Contre un baiser sur l'extrême phalange
Du petit doigt, et comme la chose est

Immensément excessive et farouche,
On est puni par un regard très sec,
Lequel contraste au demeurant avec
La moue assez clémente de la bouche.

DANS LA GROTTE

Là! je me tue à vos genoux!
Car ma détresse est infinie,
Et la tigresse épouvantable d'Hyrcanie
Est une agnelle au prix de vous.

Oui, céans, cruelle Clymène,
Ce glaive qui dans maints combats
Mit tant de Scipions et de Cyrus à bas,
Va finir ma vie et ma peine!

Ai-je même besoin de lui
Pour descendre aux Champs Élysées?
Amour perça-t-il pas de flèches aiguisées
Mon cœur, dès que votre œil m'eut lui?

6

LES INGÉNUS

Les hauts talons luttaient avec les longues jupes,
En sorte que, selon le terrain et le vent,
Parfois luisaient des bas de jambes, trop souvent
Interceptés! — et nous aimions ce jeu de dupes.

Parfois aussi le dard d'un insecte jaloux
Inquiétait le col des belles sous les branches,
Et c'étaient des éclairs soudains de nuques blanches,
Et ce régal comblait nos jeunes yeux de fous.

Le soir tombait, un soir équivoque d'automne :
Les belles, se pendant rêveuses à nos bras,
Dirent alors des mots si spécieux, tout bas,
Que notre âme depuis ce temps tremble et s'étonne.

CORTÈGE

Un singe en veste de brocart
Trotte et gambade devant elle
Qui froisse un mouchoir de dentelle
Dans sa main gantée avec art,

Tandis qu'un négrillon tout rouge
Maintient à tour de bras les pans
De sa lourde robe en suspens,
Attentif à tout pli qui bouge;

7

Le singe ne perd pas des yeux
La gorge blanche de la dame,
Opulent trésor que réclame
Le torse nu de l'un des dieux;

Le négrillon parfois soulève
Plus haut qu'il ne faut, l'aigrefin,
Son fardeau somptueux, afin
De voir ce dont la nuit il rêve;

Elle va par les escaliers,
Et ne paraît pas davantage
Sensible à l'insolent suffrage
De ses animaux familiers.

LES COQUILLAGES

Chaque coquillage incrusté
Dans la grotte où nous nous aimâmes
A sa particularité.

L'un a la pourpre de nos âmes
Dérobée au sang de nos cœurs
Quand je brûle et que tu t'enflammes;

Cet autre affecte tes langueurs
Et tes pâleurs alors que, lasse,
Tu m'en veux de mes yeux moqueurs;

Celui-ci contrefait la grâce
De ton oreille, et celui-là
Ta nuque rose, courte et grasse;

Mais un, entre autres, me troubla.

EN PATINANT

Nous fûmes dupes, vous et moi,
De manigances mutuelles,
Madame, à cause de l'émoi
Dont l'Été férut nos cervelles.

Le Printemps avait bien un peu
Contribué, si ma mémoire
Est bonne, à brouiller notre jeu,
Mais que d'une façon moins noire!

Car au printemps l'air est si frais
Qu'en somme les roses naissantes
Qu'Amour semble entr'ouvrir exprès
Ont des senteurs presque innocentes;

Et même les lilas ont beau
Pousser leur haleine poivrée
Dans l'ardeur du soleil nouveau :
Cet excitant au plus récrée,

Tant le zéphyr souffle, moqueur,
Dispersant l'aphrodisiaque
Effluve, en sorte que le cœur
Chôme et que même l'esprit vaque,

9

Et qu'émoustillés, les cinq sens
Se mettent alors de la fête,
Mais seuls, tout seuls, bien seuls et sans
Que la crise monte à la tête.

Ce fut le temps, sous de clairs ciels,
(Vous en souvenez-vous, Madame?)
Des baisers superficiels
Et des sentiments à fleur d'âme.

Exempts de folles passions,
Pleins d'une bienveillance amène,
Comme tous deux nous jouissions
Sans enthousiasme — et sans peine!

Heureux instants! — Mais vint l'Été:
Adieu, rafraîchissantes brises!
Un vent de lourde volupté
Investit nos âmes surprises.

Des fleurs aux calices vermeils
Nous lancèrent leurs odeurs mûres,
Et partout les mauvais conseils
Tombèrent sur nous des ramures.

Nous cédâmes à tout cela,
Et ce fut un bien ridicule
Vertigo qui nous affola
Tant que dura la canicule.

Rires oiseux, pleurs sans raisons,
Mains indéfiniment pressées,
Tristesses moites, pâmoisons,
Et quel vague dans les pensées!

L'automne, heureusement, avec
Son jour froid et ses bises rudes,
Vint nous corriger, bref et sec,
De nos mauvaises habitudes,

Et nous induisit brusquement
En l'élégance réclamée
De tout irréprochable amant
Comme de toute digne aimée...

Or, c'est l'Hiver, Madame, et nos
Parieurs tremblent pour leur bourse,
Et déjà les autres traîneaux
Osent nous disputer la course.

Les deux mains dans votre manchon,
Tenez-vous bien sur la banquette
Et filons! et bientôt Fanchon
Nous fleurira quoi qu'on caquette!

FANTOCHES

Scaramouche et Pulcinella
Qu'un mauvais dessein rassembla
Gesticulent, noirs sur la lune.

Cependant l'excellent docteur
Bolonais cueille avec lenteur
Des simples parmi l'herbe brune.

Lors sa fille, piquant minois,
Sous la charmille, en tapinois,
Se glisse demi-nue, en quête

De son beau pirate espagnol
Dont un langoureux rossignol
Clame la détresse à tue-tête.

CYTHÈRE

Un pavillon à claires-voies
Abrite doucement nos joies
Qu'éventent des rosiers amis;

L'odeur des roses, faible, grâce
Au vent léger d'été qui passe,
Se mêle aux parfums qu'elle a mis;

Comme ses yeux l'avaient promis
Son courage est grand et sa lèvre
Communique une exquise fièvre;

Et l'Amour comblant tout, hormis
La Faim, sorbets et confitures
Nous préservent des courbatures.

EN BATEAU

L'étoile du berger tremblote
Dans l'eau plus noire, et le pilote
Cherche un briquet dans sa culotte.

C'est l'instant, Messieurs, ou jamais,
D'être audacieux, et je mets
Mes deux mains partout désormais!

Le chevalier Atys qui gratte
Sa guitare, à Chloris l'ingrate
Lance une œillade scélérate.

L'abbé confesse bas Églé,
Et ce vicomte déréglé
Des champs donne à son cœur la clé.

Cependant la lune se lève
Et l'esquif en sa course brève
File gaîment sur l'eau qui rêve.

LE FAUNE

Un vieux faune de terre cuite
Rit au centre des boulingrins,
Présageant sans doute une suite
Mauvaise à ces instants sereins

Qui m'ont conduit et t'ont conduite,
Mélancoliques pèlerins,
Jusqu'à cette heure dont la fuite
Tournoie au son des tambourins.

MANDOLINE

Les donneurs de sérénades
Et les belles écouteuses
Échangent des propos fades
Sous les ramures chanteuses.

C'est Tircis et c'est Aminte,
Et c'est l'éternel Clitandre,
Et c'est Damis qui pour mainte
Cruelle fait maint vers tendre.

Leurs courtes vestes de soie,
Leurs longues robes à queues,
Leur élégance, leur joie
Et leurs molles ombres bleues

Tourbillonnent dans l'extase
D'une lune rose et grise,
Et la mandoline jase
Parmi les frissons de brise.

14

A CLYMÈNE

Mystiques barcarolles,
Romances sans paroles,
Chère, puisque tes yeux,
    Couleur des cieux,

Puisque ta voix, étrange
Vision qui dérange
Et trouble l'horizon
    De ma raison,

Puisque l'arome insigne
De ta pâleur de cygne
Et puisque la candeur
    De ton odeur,

Ah! puisque tout ton être,
Musique qui pénètre,
Nimbes d'anges défunts,
    Tons et parfums,

A, sur d'almes cadences,
En ses correspondances
Induit mon cœur subtil,
    Ainsi soit-il!

LETTRE

Éloigné de vos yeux, Madame, par des soins
Impérieux (j'en prends tous les dieux à témoins),
Je languis et me meurs, comme c'est ma coutume
En pareil cas, et vais, le cœur plein d'amertume,
A travers des soucis où votre ombre me suit,
Le jour dans mes pensers, dans mes rêves la nuit,
Et la nuit et le jour adorable, Madame!
Si bien qu'enfin, mon corps faisant place à mon âme,
Je deviendrai fantôme à mon tour aussi, moi,
Et qu'alors, et parmi le lamentable émoi
Des enlacements vains et des désirs sans nombre,
Mon ombre se fondra pour jamais en votre ombre.

En attendant, je suis, très chère, ton valet.

Tout se comporte-t-il là-bas comme il te plaît,
Ta perruche, ton chat, ton chien? La compagnie
Est-elle toujours belle? et cette Silvanie
Dont j'eusse aimé l'œil noir si le tien n'était bleu,
Et qui parfois me fit des signes, palsambleu!
Te sert-elle toujours de douce confidente?

Or, Madame, un projet impatient me hante
De conquérir le monde et tous ses trésors pour
Mettre à vos pieds ce gage — indigne — d'un amour
Égal à toutes les flammes les plus célèbres
Qui des grands cœurs aient fait resplendir les ténèbres.
Cléopâtre fut moins aimée, oui, sur ma foi!
Par Marc-Antoine et par César que vous par moi,
N'en doutez pas, Madame, et je saurai combattre

16

Comme César pour un sourire, ô Cléopâtre,
Et comme Antoine fuir au seul prix d'un baiser.

Sur ce, très chère, adieu. Car voilà trop causer,
Et le temps que l'on perd à lire une missive
N'aura jamais valu la peine qu'on l'écrive.

LES INDOLENTS

«Bah! malgré les Destins jaloux,
Mourons ensemble, voulez-vous?
— La proposition est rare.

— Le rare est le bon. Donc mourons
Comme dans les Décamérons.
— Hi! hi! hi! quel amant bizarre!

— Bizarre, je ne sais. Amant
Irréprochable, assurément.
Si vous voulez, mourons ensemble?

— Monsieur, vous raillez mieux encor
Que vous n'aimez, et parlez d'or;
Mais taisons-nous, si bon vous semble!»

Si bien que ce soir-là, Tircis
Et Dorimène, à deux assis
Non loin de deux silvains hilares,

Eurent l'inexpiable tort
D'ajourner une exquise mort.
Hi! hi! hi! les amants bizarres!

COLOMBINE

Léandre le sot,
Pierrot qui d'un saut
    De puce
Franchit le buisson,
Cassandre sous son
    Capuce,

Arlequin aussi,
Cet aigrefin si
    Fantasque
Aux costumes fous,
Ses yeux luisants sous
    Son masque,

— Do, mi, sol, mi, fa, —
Tout ce monde va,
    Rit, chante
Et danse devant
Une belle enfant
    Méchante

Dont les yeux pervers
Comme les yeux verts
    Des chattes
Gardent ses appas
Et disent : «A bas
    Les pattes!»

— Eux ils vont toujours! —
Fatidique cours
   Des astres,
Oh! dis-moi vers quels
Mornes ou cruels
   Désastres

L'implacable enfant,
Preste et relevant
   Ses jupes,
La rose au chapeau,
Conduit son troupeau
   De dupes?

inévitable such
bitterness
erotic love most
intent + ravages
of passion (cf Baudelaire)

L'AMOUR PAR TERRE

Le vent de l'autre nuit a jeté bas l'Amour
Qui, dans le coin le plus mystérieux du parc,
Souriait en bandant malignement son arc,
Et dont l'aspect nous fit tant songer tout un jour!

Le vent de l'autre nuit l'a jeté bas! Le marbre
Au souffle du matin tournoie, épars. C'est triste
De voir le piédestal, où le nom de l'artiste
Se lit péniblement parmi l'ombre d'un arbre.

Oh! c'est triste de voir debout le piédestal
Tout seul! Et des pensers mélancoliques vont
Et viennent dans mon rêve où le chagrin profond
Évoque un avenir solitaire et fatal.

Oh! c'est triste! — Et toi-même, est-ce pas? es touchée
D'un si dolent tableau, bien que ton œil frivole
S'amuse au papillon de pourpre et d'or qui vole
Au-dessus des débris dont l'allée est jonchée.

EN SOURDINE

Calmes dans le demi-jour
Que les branches hautes font,
Pénétrons bien notre amour
De ce silence profond.

Fondons nos âmes, nos cœurs
Et nos sens extasiés,
Parmi les vagues langueurs
Des pins et des arbousiers.

Ferme tes yeux à demi,
Croise tes bras sur ton sein,
Et de ton cœur endormi
Chasse à jamais tout dessein.

Laissons-nous persuader
Au souffle berceur et doux
Qui vient à tes pieds rider
Les ondes de gazon roux.

Et quand, solennel, le soir
Des chênes noirs tombera,
Voix de notre désespoir,
Le rossignol chantera.

FÊTES GALANTES

COLLOQUE SENTIMENTAL

Dans le vieux parc solitaire et glacé
Deux formes ont tout à l'heure passé.

Leurs yeux sont morts et leurs lèvres sont molles,
Et l'on entend à peine leurs paroles.

Dans le vieux parc solitaire et glacé
Deux spectres ont évoqué le passé.

— Te souvient-il de notre extase ancienne?
— Pourquoi voulez-vous donc qu'il m'en souvienne?

— Ton cœur bat-il toujours à mon seul nom?
Toujours vois-tu mon âme en rêve? — Non.

— Ah! les beaux jours de bonheur indicible
Où nous joignions nos bouches! — C'est possible.

— Qu'il était bleu, le ciel, et grand, l'espoir!
— L'espoir a fui, vaincu, vers le ciel noir.

Tels ils marchaient dans les avoines folles,
Et la nuit seule entendit leurs paroles.

LA BONNE CHANSON

should suggest happiness.

an emotion foreign to Verlaine

LA BONNE CHANSON

suggests hope

[DÉDICACE MANUSCRITE]

pre-marriage with Mathilde — to give her stability

A ma bien-aimée
Mathilde Mauté de Fleurville.
(PAUL VERLAINE)

poetic envoi

Faut-il donc que ce petit livre
Où plein d'espoir chante l'Amour,
Te trouve souffrante en ce jour,
Toi, pour qui seule je veux vivre?

Faut-il qu'au moment tant béni
Ce mal affreux t'ait disputée
A ma tendresse épouvantée
Et de ton chevet m'ait banni?

— Mais puisque enfin sourit encore
Après l'orage terminé
L'avenir, le front couronné
De fleurs qu'un joyeux soleil dore,

Espérons, ma mie, espérons!
Va! les heureux de cette vie
Bientôt nous porteront envie,
Tellement nous nous aimerons!

P.V.
5 juillet 1870

I

Le soleil du matin doucement chauffe et dore
Les seigles et les blés tout humides encore,
Et l'azur a gardé sa fraîcheur de la nuit.
L'on sort sans autre but que de sortir : on suit,
Le long de la rivière aux vagues herbes jaunes,
Un chemin de gazon que bordent de vieux aunes.
L'air est vif. Par moment un oiseau vole avec
Quelque fruit de la haie ou quelque paille au bec,
Et son reflet dans l'eau survit à son passage.
C'est tout.

        Mais le songeur aime ce paysage
Dont la claire douceur a soudain caressé
Son rêve de bonheur adorable, et bercé
Le souvenir charmant de cette jeune fille,
Blanche apparition qui chante et qui scintille,
Dont rêve le poète et que l'homme chérit,
Évoquant en ses vœux dont peut-être on sourit
La Compagne qu'enfin il a trouvée, et l'âme
Que son âme depuis toujours pleure et réclame.

II

Toute grâce et toute nuances
Dans l'éclat doux de ses seize ans,
Elle a la candeur des enfances
Et les manèges innocents.

26

Ses yeux, qui sont les yeux d'un ange,
Savent pourtant, sans y penser,
Éveiller le désir étrange
D'un immatériel baiser.

Et sa main, à ce point petite
Qu'un oiseau-mouche n'y tiendrait,
Captive, sans espoir de fuite,
Le cœur pris par elle en secret.

L'intelligence vient chez elle
En aide à l'âme noble; elle est
Pure autant que spirituelle :
Ce qu'elle a dit, il le fallait!

Et si la sottise l'amuse
Et la fait rire sans pitié,
Elle serait, étant la muse,
Clémente jusqu'à l'amitié,

Jusqu'à l'amour — qui sait? peut-être,
A l'égard d'un poète épris
Qui mendierait sous sa fenêtre,
L'audacieux! un digne prix

De sa chanson bonne ou mauvaise!
Mais témoignant sincèrement,
Sans fausse note et sans fadaise,
Du doux mal qu'on souffre en aimant.

III

En robe grise et verte avec des ruches,
Un jour de juin que j'étais soucieux,
Elle apparut souriante à mes yeux
Qui l'admiraient sans redouter d'embûches. *traps.*

Elle alla, vint, revint, s'assit, parla,
Légère et grave, ironique, attendrie :
Et je sentais en mon âme assombrie
Comme un joyeux reflet de tout cela;

Sa voix, étant de la musique fine,
Accompagnait délicieusement
L'esprit sans fiel de son babil charmant
Où la gaîté d'un cœur bon se devine.

Aussi soudain fus-je, après le semblant
D'une révolte aussitôt étouffée,
Au plein pouvoir de la petite Fée
Que depuis lors je supplie en tremblant.

IV

Puisque l'aube grandit, puisque voici l'aurore,
Puisque, après m'avoir fui longtemps, l'espoir veut bien
Revoler devers moi qui l'appelle et l'implore,
Puisque tout ce bonheur veut bien être le mien,

C'en est fait à présent des funestes pensées,
C'en est fait des mauvais rêves, ah! c'en est fait
Surtout de l'ironie et des lèvres pincées
Et des mots où l'esprit sans l'âme triomphait.

Arrière aussi les poings crispés et la colère
A propos des méchants et des sots rencontrés;
Arrière la rancune abominable! arrière
L'oubli qu'on cherche en des breuvages exécrés!

Car je veux, maintenant qu'un Être de lumière
A dans ma nuit profonde émis cette clarté
D'une amour à la fois immortelle et première,
De par la grâce, le sourire et la bonté,

Je veux, guidé par vous, beaux yeux aux flammes douces,
Par toi conduit, ô main où tremblera ma main,
Marcher droit, que ce soit par des sentiers de mousses,
Ou que rocs et cailloux encombrent le chemin;

Oui, je veux marcher droit et calme dans la Vie,
Vers le but où le sort dirigera mes pas,
Sans violence, sans remords et sans envie:
Ce sera le devoir heureux aux gais combats.

Et comme, pour bercer les lenteurs de la route,
Je chanterai des airs ingénus, je me dis
Qu'elle m'écoutera sans déplaisir sans doute;
Et vraiment je ne veux pas d'autre Paradis.

LA BONNE CHANSON

V

Avant que tu ne t'en ailles,
Pâle étoile du matin,
— Mille cailles
Chantent, chantent dans le thym —

Tourne devers le poète,
Dont les yeux sont pleins d'amour,
— L'alouette
Monte au ciel avec le jour —

Tourne ton regard que noie
L'aurore dans son azur;
— Quelle joie
Parmi les champs de blé mûr! —

Puis fais luire ma pensée
Là-bas, bien loin, oh! bien loin,
— La rosée
Gaîment brille sur le foin —

Dans le doux rêve où s'agite
Ma mie endormie encor...
— Vite, vite,
Car voici le soleil d'or!

VI

La lune blanche
Luit dans les bois;
De chaque branche
Part une voix
Sous la ramée…

O bien-aimée.

L'étang reflète,
Profond miroir,
La silhouette
Du saule noir
Où le vent pleure…

Rêvons, c'est l'heure.

Un vaste et tendre
Apaisement
Semble descendre
Du firmament
Que l'astre irise…

C'est l'heure exquise.

31

VII

Le paysage dans le cadre des portières
Court furieusement, et des plaines entières
Avec de l'eau, des blés, des arbres et du ciel
Vont s'engouffrant parmi le tourbillon cruel
Où tombent les poteaux minces du télégraphe
Dont les fils ont l'allure étrange d'un paraphe.
Une odeur de charbon qui brûle et d'eau qui bout,
Tout le bruit que feraient mille chaînes au bout
Desquelles hurleraient mille géants qu'on fouette;
Et tout à coup des cris prolongés de chouette.

— Que me fait tout cela, puisque j'ai dans les yeux
La blanche vision qui fait mon cœur joyeux,
Puisque la douce voix pour moi murmure encore,
Puisque le Nom si beau, si noble et si sonore
Se mêle, pur pivot de tout ce tournoiement,
Au rhythme du wagon brutal, suavement.

VIII

Une Sainte en son auréole,
Une Châtelaine en sa tour,
Tout ce que contient la parole
Humaine de grâce et d'amour;

La note d'or que fait entendre
Un cor dans le lointain des bois,
Mariée à la fierté tendre
Des nobles Dames d'autrefois;

Avec cela le charme insigne
D'un frais sourire triomphant
Éclos dans des candeurs de cygne
Et des rougeurs de femme-enfant;

Des aspects nacrés, blancs et roses,
Un doux accord patricien :
Je vois, j'entends toutes ces choses
Dans son nom carlovingien.

IX

Son bras droit, dans un geste aimable de douceur,
Repose autour du cou de la petite sœur,
Et son bras gauche suit le rhythme de la jupe.
A coup sûr une idée agréable l'occupe,
Car ses yeux si francs, car sa bouche qui sourit,
Témoignent d'une joie intime avec esprit.
Oh! sa pensée exquise et fine, quelle est-elle?
Toute mignonne, tout aimable, et toute belle,
Pour ce portrait, son goût infaillible a choisi
La pose la plus simple et la meilleure aussi :
Debout, le regard droit, en cheveux; et sa robe
Est longue juste assez pour qu'elle ne dérobe
Qu'à moitié sous ses plis jaloux le bout charmant
D'un pied malicieux imperceptiblement.

X

Quinze longs jours encore et plus de six semaines
Déjà! Certes, parmi les angoisses humaines,
La plus dolente angoisse est celle d'être loin.

On s'écrit, on se dit que l'on s'aime; on a soin
D'évoquer chaque jour la voix, les yeux, le geste
De l'être en qui l'on met son bonheur, et l'on reste
Des heures à causer tout seul avec l'absent.
Mais tout ce que l'on pense et tout ce que l'on sent
Et tout ce dont on parle avec l'absent persiste
A demeurer blafard et fidèlement triste.

Oh! l'absence! le moins clément de tous les maux!
Se consoler avec des phrases et des mots,
Puiser dans l'infini morose des pensées
De quoi vous rafraîchir, espérances lassées,
Et n'en rien remonter que de fade et d'amer!
Puis voici, pénétrant et froid comme le fer,
Plus rapide que les oiseaux et que les balles
Et que le vent du sud en mer et ses rafales
Et portant sur sa pointe aiguë un fin poison,
Voici venir, pareil aux flèches, le soupçon
Décoché par le Doute impur et lamentable.

Est-ce bien vrai? Tandis qu'accoudé sur ma table,
Je lis sa lettre avec des larmes dans les yeux,
Sa lettre où s'étale un aveu délicieux,
N'est-elle pas alors distraite en d'autres choses?
Qui sait? Pendant qu'ici pour moi lents et moroses
Coulent les jours, ainsi qu'un fleuve au bord flétri,
Peut-être que sa lèvre innocente a souri?
Peut-être qu'elle est très joyeuse et qu'elle oublie?

Et je relis sa lettre avec mélancolie.

XI

La dure épreuve va finir:
Mon cœur, souris à l'avenir.

Ils sont passés les jours d'alarmes
Où j'étais triste jusqu'aux larmes.

Ne suppute plus les instants,
Mon âme, encore un peu de temps.

J'ai tu les paroles amères
Et banni les sombres chimères.

Mes yeux exilés de la voir
De par un douloureux devoir,

Mon oreille avide d'entendre
Les notes d'or de sa voix tendre,

Tout mon être et tout mon amour
Acclament le bienheureux jour

Où, seul rêve et seule pensée,
Me reviendra la fiancée!

XII

Va, chanson, à tire-d'aile,
Au-devant d'elle, et dis-lui
Bien que dans mon cœur fidèle
Un rayon joyeux a lui,

Dissipant, lumière sainte,
Ces ténèbres de l'amour :
Méfiance, doute, crainte,
Et que voici le grand jour!

Longtemps craintive et muette,
Entendez-vous? la gaîté,
Comme une vive alouette,
Dans le ciel clair a chanté.

Va donc, chanson ingénue,
Et que, sans nul regret vain,
Elle soit la bienvenue
Celle qui revient enfin.

XIII

Hier, on parlait de choses et d'autres,
Et mes yeux allaient recherchant les vôtres;

Et votre regard recherchait le mien
Tandis que courait toujours l'entretien.

Sous le sens banal des phrases pesées,
Mon amour errait après vos pensées;

Et quand vous parliez, à dessein distrait,
Je prêtais l'oreille à votre secret:

Car la voix, ainsi que les yeux de Celle
Qui vous fait joyeux et triste, décèle,

Malgré tout effort morose et rieur,
Et met au plein jour l'être intérieur.

Or, hier je suis parti plein d'ivresse:
Est-ce un espoir vain que mon cœur caresse,

Un vain espoir, faux et doux compagnon?
Oh! non! n'est-ce pas? n'est-ce pas que non?

XIV

Le foyer, la lueur étroite de la lampe;
La rêverie avec le doigt contre la tempe
Et les yeux se perdant parmi les yeux aimés;
L'heure du thé fumant et des livres fermés;
La douceur de sentir la fin de la soirée;
La fatigue charmante et l'attente adorée
De l'ombre nuptiale et de la douce nuit,
Oh! tout cela, mon rêve attendri le poursuit
Sans relâche, à travers toutes remises vaines,
Impatient des mois, furieux des semaines!

XV

J'ai presque peur, en vérité,
Tant je sens ma vie enlacée
A la radieuse pensée
Qui m'a pris l'âme l'autre été,

Tant votre image, à jamais chère,
Habite en ce cœur tout à vous,
Mon cœur uniquement jaloux
De vous aimer et de vous plaire;

Et je tremble, pardonnez-moi
D'aussi franchement vous le dire,
A penser qu'un mot, un sourire
De vous est désormais ma loi,

Et qu'il vous suffirait d'un geste,
D'une parole ou d'un clin d'œil,
Pour mettre tout mon être en deuil
De son illusion céleste.

Mais plutôt je ne veux vous voir,
L'avenir dût-il m'être sombre
Et fécond en peines sans nombre,
Qu'à travers un immense espoir,

Plongé dans ce bonheur suprême
De me dire encore et toujours,
En dépit des mornes retours,
Que je vous aime, que je t'aime!

XVI

Le bruit des cabarets, la fange du trottoir,
Les platanes déchus s'effeuillant dans l'air noir,
L'omnibus, ouragan de ferraille et de boues,
Qui grince, mal assis entre ses quatre roues,
Et roule ses yeux verts et rouges lentement,
Les ouvriers allant au club, tout en fumant
Leur brûle-gueule au nez des agents de police,
Toits qui dégouttent, murs suintants, pavé qui glisse,
Bitume défoncé, ruisseaux comblant l'égout,
Voilà ma route — avec le paradis au bout.

XVII

N'est-ce pas? en dépit des sots et des méchants
Qui ne manqueront pas d'envier notre joie,
Nous serons fiers parfois et toujours indulgents.

N'est-ce pas? nous irons, gais et lents, dans la voie
Modeste que nous montre en souriant l'Espoir,
Peu soucieux qu'on nous ignore ou qu'on nous voie.

Isolés dans l'amour ainsi qu'en un bois noir,
Nos deux cœurs, exhalant leur tendresse paisible,
Seront deux rossignols qui chantent dans le soir.

Quant au Monde, qu'il soit envers nous irascible
Ou doux, que nous feront ses gestes? Il peut bien
S'il veut, nous caresser ou nous prendre pour cible.

Unis par le plus fort et le plus cher lien,
Et d'ailleurs, possédant l'armure adamantine,
Nous sourirons à tous et n'aurons peur de rien.

Sans nous préoccuper de ce que nous destine
Le Sort, nous marcherons pourtant du même pas,
Et la main dans la main, avec l'âme enfantine

De ceux qui s'aiment sans mélange, n'est-ce pas?

XVIII

Nous sommes en des temps infâmes
Où le mariage des âmes
Doit sceller l'union des cœurs;
A cette heure d'affreux orages,
Ce n'est pas trop de deux courages
Pour vivre sous de tels vainqueurs.

En face de ce que l'on ose,
Il nous siérait, sur toute chose,
De nous dresser, couple ravi
Dans l'extase austère du juste,
Et proclamant, d'un geste auguste,
Notre amour fier, comme un défi!

Mais quel besoin de te le dire?
Toi la bonté, toi le sourire,
N'es-tu pas le conseil aussi,
Le bon conseil loyal et brave,
Enfant rieuse au penser grave,
A qui tout mon cœur dit: Merci!

XIX

Donc, ce sera par un clair jour d'été:
Le grand soleil, complice de ma joie,
Fera, parmi le satin et la soie,
Plus belle encor votre chère beauté;

Le ciel tout bleu, comme une haute tente,
Frissonnera somptueux à longs plis
Sur nos deux fronts heureux qu'auront pâlis
L'émotion du bonheur et l'attente;

Et quand le soir viendra, l'air sera doux
Qui se jouera, caressant, dans vos voiles,
Et les regards paisibles des étoiles
Bienveillamment souriront aux époux.

XX

J'allais par des chemins perfides,
Douloureusement incertain.
Vos chères mains furent mes guides.

Si pâle à l'horizon lointain
Luisait un faible espoir d'aurore;
Votre regard fut le matin.

Nul bruit, sinon son pas sonore,
N'encourageait le voyageur.
Votre voix me dit: «Marche encore!»

Mon cœur craintif, mon sombre cœur
Pleurait, seul, sur la triste voie;
L'amour, délicieux vainqueur,

Nous a réunis dans la joie.

XXI

L'hiver a cessé: la lumière est tiède
Et danse, du sol au firmament clair.
Il faut que le cœur le plus triste cède
A l'immense joie éparse dans l'air.

Même ce Paris maussade et malade
Semble faire accueil aux jeunes soleils
Et, comme pour une immense accolade,
Tend les mille bras de ses toits vermeils.

J'ai depuis un an le printemps dans l'âme,
Et le vert retour du doux floréal,
Ainsi qu'une flamme entoure une flamme,
Met de l'idéal sur mon idéal.

Le ciel bleu prolonge, exhausse et couronne
L'immuable azur où rit mon amour.
La saison est belle et ma part est bonne
Et tous mes espoirs ont enfin leur tour.

Que vienne l'été! que viennent encore
L'automne et l'hiver! Et chaque saison
Me sera charmante, ô Toi que décore
Cette fantaisie et cette raison!

ROMANCES SANS PAROLES

ARIETTES OUBLIÉES

I

Le vent dans la plaine
Suspend son haleine.
(FAVART)

C'est l'extase langoureuse,
C'est la fatigue amoureuse,
C'est tous les frissons des bois
Parmi l'étreinte des brises,
C'est, vers les ramures grises,
Le chœur des petites voix.

O le frêle et frais murmure!
Cela gazouille et susurre,
Cela ressemble au cri doux
Que l'herbe agitée expire...
Tu dirais, sous l'eau qui vire,
Le roulis sourd des cailloux.

Cette âme qui se lamente
En cette plainte dormante,
C'est la nôtre, n'est-ce pas?
La mienne, dis, et la tienne,
Dont s'exhale l'humble antienne
Par ce tiède soir, tout bas?

a balancing one & choosen
between past & future - present effect
... the step. is moving fastest.
... se so touch to the
2 extremes of its course

ROMANCES SANS PAROLES

II

Je devine, à travers un murmure,
Le contour subtil des voix anciennes, ①
Et dans les lueurs musiciennes,
Amour pâle, une aurore future! ②

Et mon âme et mon cœur en délires
Ne sont plus qu'une espèce d'œil double
Où tremblote, à travers un jour trouble,
L'ariette, hélas! de toutes lyres!

O mourir de cette mort seulette
Que s'en vont, cher amour qui t'épeures,
Balançant jeunes et vieilles heures!
O mourir de cette escarpolette!

III — *paysage d'âme*

all emotion is indefinable
as it has scenes - can't find
reason for it
- here (normally) to convey
indefinable emotion also
becomes find words for this
feeling he has.

Poets must enjoy
sadness to be able
to write poetry.

- different experiences -
intellectual - imagined
suffering

Il pleut doucement sur la ville.
(ARTHUR RIMBAUD)

Metaphor/
split into 2

Il pleure dans mon cœur
Comme il pleut sur la ville; } *correspondance & metaphor*
Quelle est cette langueur
Qui pénètre mon cœur? → *4 links*

1) not violent, muted

O bruit doux de la pluie
Par terre et sur les toits!
Pour un cœur qui s'ennuie,
O le chant de la pluie!

2) fine rain, fine vague feeling

3) falling water

4) + sound quality

2 become confused

46

Il pleure sans raison
Dans ce cœur qui s'écœure.
Quoi! nulle trahison?
Ce deuil est sans raison.

C'est bien la pire peine
De ne savoir pourquoi,
Sans amour et sans haine,
Mon cœur a tant de peine!

IV

De la douceur, de la douceur, de la douceur.
(INCONNU)

Il faut, voyez-vous, nous pardonner les choses:
De cette façon nous serons bien heureuses,
Et si notre vie a des instants moroses,
Du moins nous serons, n'est-ce pas? deux pleureuses.

O que nous mêlions, âmes sœurs que nous sommes,
A nos vœux confus la douceur puérile
De cheminer loin des femmes et des hommes,
Dans le frais oubli de ce qui nous exile!

Soyons deux enfants, soyons deux jeunes filles
Éprises de rien et de tout étonnées,
Qui s'en vont pâlir sous les chastes charmilles,
Sans même savoir qu'elles sont pardonnées.

47

V

Son joyeux, importun, d'un clavecin sonore.

(PETRUS BOREL)

Le piano que baise une main frêle
Luit dans le soir rose et gris vaguement,
Tandis qu'avec un très léger bruit d'aile,
Un air bien vieux, bien faible et bien charmant
Rôde discret, épeuré quasiment,
Par le boudoir longtemps parfumé d'Elle.

Qu'est-ce que c'est que ce berceau soudain
Qui lentement dorlote mon pauvre être?
Que voudrais-tu de moi, doux chant badin?
Qu'as-tu voulu, fin refrain incertain
Qui vas tantôt mourir vers la fenêtre
Ouverte un peu sur le petit jardin?

VI

C'est le chien de Jean de Nivelle
Qui mord sous l'œil même du guet
Le chat de la mère Michel;
François-les-bas-bleus s'en égaie.

La lune à l'écrivain public
Dispense sa lumière obscure
Où Médor avec Angélique
Verdissent sur le pauvre mur.

48

Et voici venir La Ramée
Sacrant en bon soldat du Roy.
Sous son habit blanc mal famé,
Son cœur ne se tient pas de joie,

Car la boulangère... — Elle? — Oui dam!
Bernant Lustucru, son vieil homme,
A tantôt couronné sa flamme...
Enfants, *Dominus vobiscum*!

Place! en sa longue robe bleue
Toute en satin qui fait frou-frou,
C'est une impure, palsambleu!
Dans sa chaise qu'il faut qu'on loue,

Fût-on philosophe ou grigou,
Car tant d'or s'y relève en bosse,
Que ce luxe insolent bafoue
Tout le papier de monsieur Los!

Arrière, robin crotté! place,
Petit courtaud, petit abbé,
Petit poète jamais las
De la rime non attrapée!

Voici que la nuit vraie arrive...
Cependant jamais fatigué
D'être inattentif et naïf,
François-les-bas-bleus s'en égaie.

VII

O triste, triste était mon âme
A cause, à cause d'une femme.

Je ne me suis pas consolé
Bien que mon cœur s'en soit allé,

Bien que mon cœur, bien que mon âme
Eussent fui loin de cette femme.

Je ne me suis pas consolé,
Bien que mon cœur s'en soit allé.

Et mon cœur, mon cœur trop sensible
Dit à mon âme : Est-il possible,

Est-il possible — le fût-il —
Ce fier exil, ce triste exil?

Mon âme dit à mon cœur: Sais-je
Moi-même que nous veut ce piège

D'être présents bien qu'exilés,
Encore que loin en allés?

VIII

[handwritten: total image]
[handwritten: 5 syllable]

Dans l'interminable *[handwritten: r. desolate;]*
Ennui de la plaine,
La neige incertaine *[handwritten: — not clearly defined]*
Luit comme du sable. *[handwritten: suggestions of qualities]*
[handwritten: of a desert.]

Le ciel est de cuivre *[handwritten: coldness]*
Sans lueur aucune;
On croirait voir vivre *[handwritten: glimmering effect.]*
Et mourir la lune.

Comme des nuées
Flottent gris les chênes
Des forêts prochaines
Parmi les buées.

Le ciel est de cuivre
Sans lueur aucune;
On croirait voir vivre
Et mourir la lune.

Corneille poussive,
Et vous, les loups maigres,
Par ces bises aigres
Quoi donc vous arrive?

Dans l'interminable
Ennui de la plaine,
La neige incertaine
Luit comme du sable.

IX

> *Le rossignol, qui du haut d'une*
> *branche se regarde dedans, croit*
> *être tombé dans la rivière. Il est*
> *au sommet d'un chêne et toutefois*
> *il a peur de se noyer.*
>
> (CYRANO DE BERGERAC)

L'ombre des arbres dans la rivière embrumée
     Meurt comme de la fumée,
Tandis qu'en l'air, parmi les ramures réelles,
     Se plaignent les tourterelles.

Combien, ô voyageur, ce paysage blême
     Te mira blême toi-même,
Et que tristes pleuraient dans les hautes feuillées
     Tes espérances noyées!

Mai, juin 1872.

PAYSAGES BELGES

«*Conquestes du Roy.*»
(VIEILLES ESTAMPES)

WALCOURT

Briques et tuiles,
O les charmants
Petits asiles
Pour les amants!

Houblons et vignes,
Feuilles et fleurs,
Tentes insignes
Des francs buveurs!

Guinguettes claires,
Bières, clameurs,
Servantes chères
A tous fumeurs!

Gares prochaines,
Gais chemins grands...
Quelles aubaines,
Bons juifs errants!

Juillet 1872.

CHARLEROI

Dans l'herbe noire
Les Kobolds vont.
Le vent profond
Pleure, on veut croire.

Quoi donc se sent?
L'avoine siffle.
Un buisson gifle
L'œil au passant.

Plutôt des bouges
Que des maisons.
Quels horizons
De forges rouges!

On sent donc quoi?
Des gares tonnent,
Les yeux s'étonnent:
Où Charleroi?

Parfums sinistres!
Qu'est-ce que c'est?
Quoi bruissait
Comme des sistres?

Sites brutaux!
Oh! votre haleine,
Sueur humaine,
Cris des métaux!

Dans l'herbe noire
Les Kobolds vont.
Le vent profond
Pleure, on veut croire.

BRUXELLES

SIMPLES FRESQUES

I

La fuite est verdâtre et rose
Des collines et des rampes,
Dans un demi-jour de lampes
Qui vient brouiller toute chose.

L'or sur les humbles abîmes
Tout doucement s'ensanglante,
Des petits arbres sans cimes
Où quelque oiseau faible chante.

Triste à peine tant s'effacent
Ces apparences d'automne,
Toutes mes langueurs rêvassent,
Que berce l'air monotone.

II

L'allée est sans fin
Sous le ciel, divin
D'être pâle ainsi!
Sais-tu qu'on serait
Bien sous le secret
De ces arbres-ci?

Des messieurs bien mis,
Sans nul doute amis
Des Royer-Collards,
Vont vers le château.
J'estimerais beau
D'être ces vieillards.

Le château tout blanc
Avec, à son flanc,
Le soleil couché,
Les champs à l'entour...
Oh! que notre amour
N'est-il là niché!

Estaminet du Jeune Renard, août 1872.

ROMANCES SANS PAROLES

BRUXELLES

CHEVAUX DE BOIS

Par saint Gille
Viens-nous-en,
Mon agile
Alezan.
(V. HUGO)

Tournez, tournez, bons chevaux de bois,
Tournez cent tours, tournez mille tours,
Tournez souvent et tournez toujours,
Tournez, tournez au son des hautbois.

Le gros soldat, la plus grosse bonne
Sont sur vos dos comme dans leur chambre;
Car, en ce jour, au bois de la Cambre,
Les maîtres sont tous deux en personne.

Tournez, tournez, chevaux de leur cœur,
Tandis qu'autour de tous vos tournois
Clignote l'œil du filou sournois.
Tournez au son du piston vainqueur.

C'est ravissant comme ça vous soûle
D'aller ainsi dans ce cirque bête!
Bien dans le ventre et mal dans la tête,
Du mal en masse et du bien en foule.

Tournez, tournez, sans qu'il soit besoin
D'user jamais de nuls éperons
Pour commander à vos galops ronds,
Tournez, tournez, sans espoir de foin.

Et dépêchez, chevaux de leur âme:
Déjà, voici que la nuit qui tombe
Va réunir pigeon et colombe,
Loin de la foire et loin de madame.

Tournez, tournez! Le ciel en velours
D'astres en or se vêt lentement.
Voici partir l'amante et l'amant.
Tournez au son joyeux des tambours.

Champ de foire de Saint-Gilles, août 1872.

MALINES

Vers les prés, le vent cherche noise
Aux girouettes, détail fin
Du château de quelque échevin,
Rouge de brique et bleu d'ardoise,
Vers les prés clairs, les prés sans fin!

Comme les arbres des féeries,
Des frênes, vagues frondaisons,
Échelonnent mille horizons
A ce Sahara de prairies,
Trèfle, luzerne et blancs gazons.

Les wagons filent en silence
Parmi ces sites apaisés.
Dormez, les vaches! Reposez,
Doux taureaux de la plaine immense,
Sous vos cieux à peine irisés!

Le train glisse sans un murmure,
Chaque wagon est un salon
Où l'on cause bas et d'où l'on
Aime à loisir cette nature
Faite à souhait pour Fénelon.

Août 1872.

BIRDS IN THE NIGHT

En robe grise et verte avec des ruches,
Un jour de juin que j'étais soucieux,
Elle apparut souriante à mes yeux
Qui l'admiraient sans redouter d'embûches.
(INCONNU)

Elle est si jeune!
(LIAISONS DANGEREUSES)

Vous n'avez pas eu toute patience,
Cela se comprend par malheur, de reste;
Vous êtes si jeune! et l'insouciance,
C'est le lot amer de l'âge céleste!

Vous n'avez pas eu toute la douceur,
Cela par malheur d'ailleurs se comprend;
Vous êtes si jeune, ô ma froide sœur,
Que votre cœur doit être indifférent!

Aussi, me voici plein de pardons chastes,
Non, certes! joyeux, mais très calme, en somme,
Bien que je déplore, en ces mois néfastes,
D'être, grâce à vous, le moins heureux homme.

★ ★ ★

Et vous voyez bien que j'avais raison
Quand je vous disais, dans mes moments noirs,
Que vos yeux, foyers de mes vieux espoirs,
Ne couvaient plus rien que la trahison.

Vous juriez alors que c'était mensonge,
Et votre regard qui mentait lui-même
Flambait comme un feu mourant qu'on prolonge,
Et de votre voix vous disiez: «Je t'aime!»

Hélas! on se prend toujours au désir
Qu'on a d'être heureux malgré la saison...
Mais ce fut un jour plein d'amer plaisir,
Quand je m'aperçus que j'avais raison!

★ ★ ★

Aussi bien, pourquoi me mettrais-je à geindre?
Vous ne m'aimiez pas, l'affaire est conclue,
Et, ne voulant pas qu'on ose me plaindre,
Je souffrirai d'une âme résolue.

Oui, je souffrirai, car je vous aimais!
Mais je souffrirai comme un bon soldat
Blessé, qui s'en va dormir à jamais,
Plein d'amour pour quelque pays ingrat.

Vous qui fûtes ma Belle, ma Chérie,
Encor que de vous vienne ma souffrance,
N'êtes-vous donc pas toujours ma Patrie,
Aussi jeune, aussi folle que la France?

★ ★ ★

Or, je ne veux pas — le puis-je d'abord? —
Plonger dans ceci mes regards mouillés.
Pourtant mon amour que vous croyez mort
A peut-être enfin les yeux dessillés.

Mon amour qui n'est que ressouvenance,
Quoique sous vos coups il saigne et qu'il pleure
Encore et qu'il doive, à ce que je pense,
Souffrir longtemps jusqu'à ce qu'il en meure,

Peut-être a raison de croire entrevoir
En vous un remords (qui n'est pas banal)
Et d'entendre dire, en son désespoir,
A votre mémoire: Ah! fi! que c'est mal!

★ ★ ★

Je vous vois encor. J'entrouvris la porte,
Vous étiez au lit comme fatiguée.
Mais, ô corps léger que l'amour emporte,
Vous bondîtes nue, éplorée et gaie.

O quels baisers, quels enlacements fous!
J'en riais moi-même à travers mes pleurs.
Certes, ces instants seront, entre tous,
Mes plus tristes, mais aussi mes meilleurs.

Je ne veux revoir de votre sourire
Et de vos bons yeux, en cette occurrence,
Et de vous, enfin, qu'il faudrait maudire,
Et du piège exquis, rien que l'apparence.

★ ★ ★

Je vous vois encore! En robe d'été
Blanche et jaune avec des fleurs de rideaux.
Mais vous n'aviez plus l'humide gaîté
Du plus délirant de tous nos tantôts.

La petite épouse et la fille aînée
Était reparue avec la toilette,
Et c'était déjà notre destinée
Qui me regardait sous votre voilette.

Soyez pardonnée! Et c'est pour cela
Que je garde, hélas! avec quelque orgueil,
En mon souvenir qui vous cajola,
L'éclair de côté que coulait votre œil.

★ ★ ★

Par instants je suis le pauvre navire
Qui court démâté parmi la tempête,
Et ne voyant pas Notre-Dame luire,
Pour l'engouffrement en priant s'apprête.

Par instants je meurs la mort du pécheur
Qui se sait damné s'il n'est confessé,
Et, perdant l'espoir de nul confesseur,
Se tord dans l'Enfer qu'il a devancé.

O mais! par instants j'ai l'extase rouge
Du premier chrétien sous la dent rapace,
Qui rit à Jésus témoin, sans que bouge
Un poil de sa chair, un nerf de sa face!

Bruxelles-Londres. — Septembre-octobre 1872.

AQUARELLES

GREEN

Voici des fruits, des fleurs, des feuilles et des branches,
Et puis voici mon cœur, qui ne bat que pour vous.
Ne le déchirez pas avec vos deux mains blanches,
Et qu'à vos yeux si beaux l'humble présent soit doux.

J'arrive tout couvert encore de rosée
Que le vent du matin vient glacer à mon front.
Souffrez que ma fatigue, à vos pieds reposée,
Rêve des chers instants qui la délasseront.

Sur votre jeune sein laissez rouler ma tête
Toute sonore encor de vos derniers baisers;
Laissez-la s'apaiser de la bonne tempête,
Et que je dorme un peu puisque vous reposez.

SPLEEN

Les roses étaient toutes rouges,
Et les lierres étaient tout noirs.

Chère, pour peu que tu te bouges,
Renaissent tous mes désespoirs.

Le ciel était trop bleu, trop tendre,
La mer trop verte et l'air trop doux.

Je crains toujours — ce qu'est d'attendre! —
Quelque fuite atroce de vous.

Du houx à la feuille vernie
Et du luisant buis je suis las,

Et de la campagne infinie
Et de tout, fors de vous, hélas!

STREETS

I

Dansons la gigue!

J'aimais surtout ses jolis yeux
Plus clairs que l'étoile des cieux,
J'aimais ses yeux malicieux.

Dansons la gigue!

Elle avait des façons vraiment
De désoler un pauvre amant,
Que c'en était vraiment charmant!

Dansons la gigue!

Mais je trouve encore meilleur
Le baiser de sa bouche en fleur,
Depuis qu'elle est morte à mon cœur.

65

Dansons la gigue!

Je me souviens, je me souviens
Des heures et des entretiens,
Et c'est le meilleur de mes biens.

Dansons la gigue!

SOHO

II

O la rivière dans la rue!
Fantastiquement apparue
Derrière un mur haut de cinq pieds,
Elle roule sans un murmure
Son onde opaque et pourtant pure,
Par les faubourgs pacifiés.

La chaussée est très large, en sorte
Que l'eau jaune comme une morte
Dévale ample et sans nuls espoirs
De rien refléter que la brume,
Même alors que l'aurore allume
Les cottages jaunes et noirs.

PADDINGTON

CHILD WIFE

Vous n'avez rien compris à ma simplicité,
      Rien, ô ma pauvre enfant!
Et c'est avec un front éventé, dépité,
      Que vous fuyez devant.

Vos yeux qui ne devaient refléter que douceur,
      Pauvre cher bleu miroir,
Ont pris un ton de fiel, ô lamentable sœur,
      Qui nous fait mal à voir.

Et vous gesticulez avec vos petits bras
      Comme un héros méchant,
En poussant d'aigres cris poitrinaires, hélas!
      Vous qui n'étiez que chant!

Car vous avez eu peur de l'orage et du cœur
      Qui grondait et sifflait,
Et vous bêlâtes vers votre mère — ô douleur! —
      Comme un triste agnelet.

Et vous n'avez pas su la lumière et l'honneur
      D'un amour brave et fort,
Joyeux dans le malheur, grave dans le bonheur,
      Jeune jusqu'à la mort!

A POOR YOUNG SHEPHERD

cité - folklore ballad

J'ai peur d'un baiser
Comme d'une abeille.
Je souffre et je veille
Sans me reposer:
J'ai peur d'un baiser!

Pourtant j'aime Kate
Et ses yeux jolis.
Elle est délicate
Aux longs traits pâlis.
Oh! que j'aime Kate!

C'est Saint-Valentin!
Je dois et je n'ose
Lui dire au matin…
La terrible chose
Que Saint-Valentin!

Elle m'est promise,
Fort heureusement!
Mais quelle entreprise
Que d'être un amant
Près d'une promise!

J'ai peur d'un baiser
Comme d'une abeille.
Je souffre et je veille
Sans me reposer:
J'ai peur d'un baiser!

BEAMS

Elle voulut aller sur les flots de la mer,
Et comme un vent bénin soufflait une embellie,
Nous nous prêtâmes tous à sa belle folie,
Et nous voilà marchant par le chemin amer.

Le soleil luisait haut dans le ciel calme et lisse,
Et dans ses cheveux blonds c'étaient des rayons d'or,
Si bien que nous suivions son pas plus calme encor
Que le déroulement des vagues. — O délice!

Des oiseaux blancs volaient alentour mollement,
Et des voiles au loin s'inclinaient toutes blanches.
Parfois de grands varechs filaient en longues branches,
Nos pieds glissaient d'un pur et large mouvement.

Elle se retourna, doucement inquiète
De ne nous croire pas pleinement rassurés:
Mais nous voyant joyeux d'être ses préférés,
Elle reprit sa route et portait haut la tête.

Douvres-Ostende, à bord de la *Comtesse-de-Flandre*,
4 avril 1873.

NOTES

NOTES

Désireux de nous interposer le moins possible entre le poète et le lecteur, nous nous sommes contenté de réunir dans les notes qui suivent, des données bibliographiques susceptibles d'éclairer la genèse de nos textes, renonçant dans la mesure du possible au commentaire biographique et littéraire. Si, dans certains cas, il nous a paru utile d'expliquer tel mot, de signaler telle concordance entre la vie et l'œuvre de Verlaine, telle particularité de son art, telle source d'inspiration, il ne s'agit là que de points de détail dont le lecteur attentif n'acceptera l'interprétation que sous bénéfice d'inventaire.*

FÊTES GALANTES

Recueil publié en mars 1869 chez Lemerre (éditeur des *Poèmes Saturniens*) et tiré à 350 exemplaires, à compte d'auteur. La composition des pièces qu'il contient s'étend sur plusieurs années. Quatorze en furent publiées en préoriginale dans des périodiques: *Clair de lune* et *Mandoline* (sous le titre de *Trumeau*) dans la *Gazette rimée*, 20 février 1867; les mêmes pièces reparurent (*Mandoline* avec son titre définitif) accompagnées de *L'Allée, Sur l'herbe, Pantomime, Le Faune*, dans l'*Artiste* du 1er janvier 1868 (titre collectif: *Fêtes Galantes*); l'*Artiste* publia le 1er juillet suivant *A la promenade, Dans la grotte, Les ingénus, A Clymène, En sourdine, Colloque sentimental* (titre collectif: *Nouvelles Fêtes Galantes*); le 1er mars 1869, *Cortège, L'Amour par terre*.

Un manuscrit des *Fêtes Galantes*, appartenant à M. Stefan Zweig, fut reproduit en fac-similé, en 1920, dans la collection des *Manuscrits des Maîtres*. Les variantes que nous donnons ici sont citées (sauf indication contraire) d'après ce manuscrit, que nous avons examiné grâce à l'extrême amabilité de Mme. Alberman, héritière de M.

Zweig (voir notre art. de la *Rev. d'Hist. littéraire*, janv.–mars 1962).
Nous n'en donnons pas la liste complète. Les leçons supprimées par
l'auteur ne sont citées que lorsqu'elles présentent un intérêt spécial.

CLAIR DE LUNE

Bergamasque... Mot rare. Selon Littré, danse italienne du dix-huitième
siècle. Mais Shakespeare avait déjà écrit: «Vienne la bergamasque!»
(*Songe d'une nuit d'été*, acte V). Les Goncourt font de ce mot une
épithète: «rire bergamasque». Quant à Verlaine, il l'emploie ici
dans le sens de *danseur* au lieu de *danse*. C'est sans doute Banville qui
l'y autorise: déjà en 1846, collègue de Baudelaire, il avait donné à
ce mot le même sens et l'avait fait rimer avec *fantasques*. D'autres
détails du poème de Verlaine (*jets d'eau, extase*, etc.) peuvent
provenir de Baudelaire (*Le Jet d'eau, Bien loin d'ici...*).

Variante. Str.3,v.1: Au calme clair de lune *de Watteau* (*Gazette
rimée*).

PANTOMIME

Tableau de la comédie italienne avec les personnages traditionnels
tels qu'on les voit sur les toiles de Watteau, de Lancret, de Fragonard.
A Pierrot, le rustre, et à son rival Arlequin (qui *pirouette quatre fois*
parce que la tradition scénique ne lui accorde que *cinq* postures)
s'ajoutent ici Clitandre, traditionnel «jeune premier», et Cassandre,
vieillard imbécile, crédule, dupe des autres.

Ce faquin d'Arlequin imite sans doute *ce faquin d'Argante* de Molière
(*Les Fourberies de Scapin*, acte II, sc. 6).

SUR L'HERBE

Conversation falote entre personnages d'une toile du dix-huitième
siècle: un abbé galant, un marquis, une marquise, des bergères.
Verlaine a pu s'inspirer également de la description qu'ont donnée de

l' «Isle enchantée» de Watteau, les Goncourt: «...au bord d'une eau morte et rayonnante et se perdant sous des arbres transpercés d'un soleil couchant, des hommes et des femmes sont assis *sur l'herbe*» (*L'Art du dix-huitième siècle*).

Camargo... Danseuse (1710–1770), sujet d'une célèbre toile de Lancret.

Une étoile... Extrémité d'une tresse de cheveux.

Variantes. Str.1,v.1: L'abbé divague *et toi* marquis
    Str.3,v.2: *Çà, baisons* nos bergères l'une...

L'ALLÉE

Transposition d'un portrait du dix-huitième siècle. Sonnet irrégulier dont la première partie se compose de six vers au lieu de huit et se termine même en un distique à rimes plates. A comparer avec le «sonnet renversé» des *Poèmes Saturniens* (*Résignation*).

Sur le ms. une dédicace, biffée, avait eu comme destinataire «V...»

Nous rétablissons, pour les deux derniers vers, la disposition du manuscrit et des premières éditions.

A LA PROMENADE

Coloris caractéristique de Verlaine: ciel *pâle*, arbres *grêles*, costumes *clairs*, *légers*, etc. Une seule phrase se prolonge en enjambement à travers les trois dernières strophes, procédé que Verlaine affectionnera de plus en plus.

La main imperceptible, l'extrême phalange, immensément excessive et farouche... Exagérations ironiques et voulues, imitant la préciosité galante.

DANS LA GROTTE

Titre primitif, biffé sur le manuscrit: *A Clymène*.

Les noms classiques (Hyrcanie, Scipions, Cyrus, Champs Elysées) nous éloignent quelque peu de la pantomime.

La tigresse épouvantable d'Hyrcanie. L'Hyrcanie, pays de l'antiquité, au sud-est de la Mer Caspienne, abondait en bêtes fauves.

Il est permis de voir ici un souvenir de Virgile:

> duris genuit te cautibus horrens
> Caucasus Hyrcanæque admorunt ubera tigres.
>
> (*Enéide* IV, 366).

Variantes. St.1,v.3: Et *les tigresses — ô Clymène — d'Hyrcanie* (la version définitive se trouve déjà sur le manuscrit).
Str.1,v.4: *Sont des agnelles près* de vous
Str.2,v.1: Oui, *sous vos yeux, dure* Clymène
Str.2,v.3: Mit tant de Scipions et de *Césars* à bas
Str.3,v.1: *Mais même ai-je* besoin de lui
Str.3,v.4: Mon cœur, *quand vos yeux m'eurent* lui?

LES INGÉNUS

A comparer avec la *Chanson des Ingénues* (*Poèmes Saturn.*)

Les hauts talons luttaient... Souvenir des «indiscrétions des hauts talons dépassant les jupes», qu'on trouve chez les Goncourt (*Watteau*).

Variante. Str.2,v.1: Parfois aussi le *vol* d'un insecte jaloux.

CORTÈGE

Portrait réaliste et fantaisiste à la fois (avec une pointe de polissonnerie) d'une grande dame, avec son singe et son négrillon familiers. La dame de l'*Allée* froisse son éventail, celle-ci un mouchoir. Elle est peut-être une imitation de la Reine de Saba de Flaubert (*Tentation de Saint Antoine*).

Un négrillon tout rouge... Habillé de rouge.

LES COQUILLAGES

Seul morceau en tierce-rime du recueil. On sait qu'au XVIIIe siècle, la mode était aux grottes en rocs et en coquillages.

Variante. Str.4,v.1: *Celui-là* contrefait la grâce (erreur évidente).

EN PATINANT

Premier titre du manuscrit, biffé: *Les Quatre Saisons*. Deuxième titre, biffé également: *Sur la glace*. Le décor de cette pièce n'est pas spécialement XVIIIe siècle, et l'ambiance hivernale semble une innovation de Verlaine, les autres poètes des fêtes galantes les situant en général dans des saisons plus douces. Notre poète s'inspire vraisemblablement ici d'une gravure de Watteau, *L'Hiver*, faisant partie d'une suite intitulée *Les quatre Saisons*.

Férut (str.1). Barbarisme pour *férit*.

Mais que d'une façon... (str.2). Cet emploi, plutôt mièvre, de *que* est caractéristique chez Verlaine.

Exempts de folles passions... (str.8) Thème que le poète reprendra, en lui donnant un sens religieux, dans *Sagesse* (3me partie, I).

Nos parieurs tremblaient... (str.15) Les personnages de Verlaine prennent part à des courses de traîneaux, très à la mode au dix-huitième siècle.

Fanchon nous fleurira quoiqu'on caquette! Verlaine renchérit là sur le *quoi qu'on die* de Molière. *Fanchon* (forme villageoise de *Françoise*) est sans doute le petit nom d'une marquise, d'une bergère qui couronnera de fleurs les vainqueurs de la course. Il y eut au dix-huitième siècle une vraie Fanchon, vielleuse foraine à Paris, héroïne de chansons populaires, d'opérettes, etc.

Variantes. Str. 4,v.1: Et même les *œillets* ont beau
     Str. 4,v.3: *Sous* l'ardeur du soleil nouveau.
     Str. 6,v.3: Mais seuls et *tout seuls et que...*
     Str. 9,v.1: Heureux *moments!* — Mais...
     Str.10,v.2: Nous lancèrent des *senteurs...*
     Str.11,v.4: Tant que *sévit* la canicule.
     Str.13,v.2: Son jour froid et ses *brises* rudes.

FANTOCHES

Premier titre„ biffé: *Fantoccini.* Souvenir probable du *Pont des Soupirs,* opérette «vénitienne» et «galante» d'Offenbach (1861), laquelle comporte un ballet de *fantoccini* et fournit sans doute d'autres éléments à Verlaine.

Noirs sur la lune... Nous avons rétabli la leçon du manuscrit et des trois premières éditions. Le *sous la lune* des éditions récentes est une coquille qui dénature le sens.

L'excellent docteur bolonais... Pantalon, père de Colombine. On retrouve *le docteur bolonais,* en toutes lettres, dans le *Carnaval de Venise* de Gautier.

CYTHÈRE

Souvenir du plus célèbre tableau de Watteau et aussi, sans doute, des Goncourt: «le paradis de Watteau s'ouvre: c'est Cythère...» Comme la pièce précédente, *Cythère* est composée de quatre strophes de trois octosyllabes, mais cette fois, les rimes consécutives sont féminines; les strophes 3 et 4 sont, pour les rimes, comme une inversion des deux premières, gardant la même rime riche masculine *mis,* mais au premier vers au lieu du dernier.

Un pavillon à claires-voies... Comparer le *théâtre en treillage*, au *cintre à claire-voie*, de la *Fête chez Thérèse*.

Qu'éventent des rosiers... Des différents sens d'*éventer*, Verlaine prend celui de «rafraîchir (en s'agitant)».

EN BATEAU

Comparer la *Lettre* de Hugo (*Chansons des Rues et des Bois*):

> Un bateau passe. Il porte un groupe
> Où chante un prélat violet.
> L'ombre des branches se découpe
> Sur le plafond du tendelet.
>
> A terre, un pâtre, aimé des muses,
> Qui n'a que la peau sur les os,
> Regarde des choses confuses
> Dans le profond ciel plein d'oiseaux...

La fantaisie verlainienne a complètement transformé ce décor.

L'étoile du berger... Vénus.

*Variante.*v.2: *Sous* l'eau...

LE FAUNE

Mélancoliques pèlerins... En parlant de l'*Embarquement de Cythère*, dans leurs *Notules* sur Watteau, les Goncourt écrivent: «Arrêtez un moment vos regards sur cette bande de pèlerins et de pèlerines se pressant sous le soleil couchant, près de la galère d'amour prête à appareiller...» Peut-être Verlaine se souvient-il aussi de Roméo qui va au bal masqué déguisé en pèlerin: ses lèvres sont des «pèlerins d'amour».

Cette heure dont la fuite tournoie. Image déjà toute verlainienne. Il n'est guère besoin d'attribuer de pareilles expressions à l'influence de Rimbaud, puisque Verlaine en trouvait déjà avant de le connaître.

NOTES

MANDOLINE

Une dédicace, biffée, avait eu comme destinataire «Léon...»

Poème de rythme impair. Verlaine se déclarera plus tard ouvertement pour l'«impair» dont il use ici plus que dans son recueil précédent. A remarquer l'effet de douceur voilée provenant de l'absence de rimes masculines.

Tircis, Aminte, etc... Personnages de pastorales.

Une lune rose et grise. Coloris nuancé verlainien. Pour un Hugo, le clair de lune est *bleu*, simplement.

A CLYMÈNE

Ce poème s'intitula d'abord *Galimathias* [*sic*] *double*, puis *Chant d'Amour.* Le titre de *A Clymène* avait appartenu primitivement à *Dans la Grotte.* Purs de toute couleur historique, ces vers auraient pu figurer dans les *Romances sans Paroles*, dont ils annoncent la manière et le titre. Seules les *barcarolles* (chansons de gondoliers) rappellent le temps des fêtes galantes, mais c'est sans doute la vogue de Mendelssohn qui attire l'attention de Verlaine aux barcarolles comme aux romances sans paroles.

Les permutations de sensations (voix-vision, pâleur-arôme, odeur-candeur, etc.) sont d'un disciple de Baudelaire, qui se révèle nettement dans la dernière strophe avec ses «correspondances»; celles-ci n'appartiennent pas aux époques «galantes», et ne sont pas de même ordre que celles proposées par Swedenborg, au XVIIIᵉ siècle, entre le terrestre et le céleste.

Variante. Str.5,v.3: *Conduit* mon cœur subtil.

NOTES

LETTRE

Une pièce «dix-huitième siècle» des *Chansons des Rues et des Bois*
(1866) porte le même titre.

Ta perruche. Oiseau familier au dix-huitième siècle.

Cléopâtre fut moins aimée... D'après les Goncourt, c'est la galère de
Cléopâtre qui figurerait dans l'*Embarquement pour Cythère*.

Variantes:
   V. 7: Et la nuit et le jour, adorable Madame!
   V.12: Mon ombre se fondra *à jamais...* (éditions de 1891).
         Mon ombre se fondra pour jamais *en ton* ombre.
   V.13: En attendant, je suis, *ma chère*, ton valet.
   V.14: Mettre à vos pieds ce gage *indigne* d'un amour
   V.24: Qui des grands cœurs *ont* fait...

LES INDOLENTS

M. Dupuy (*Poètes et Critiques*) voit dans cette pièce l'influence de la
chanson de Pandarus, dans le *Troïlus et Cressida* de Shakespeare:

> Ces amants crient O! O! c'est la mort:
> Pourtant ce qui semble blessure à tuer
> Fait tourner O! O! en hé! hé! hi!
> Ainsi l'amour qui râlait vit encore:
> O! O! un moment, mais hé! hé! hi!
> O! O! finit par hé! hé! hé!

Roméo, dans la traduction de Deschamps, que Verlaine dut connaître, est *notre amant bizarre*. Ajoutons que le dialogue entrecoupé,
ironique, inconséquent, ressemble à maints passages de Shakespeare,
surtout à tel endroit de *Comme il vous plaira*, que Verlaine connaissait
de longue date.

Variante. Str.6,v.1: Eurent l'*inexprimable* tort (c'est là probablement
   une coquille).

COLOMBINE

Le vers de cinq syllabes figure bien les *sauts de puce* de ce monde de fantoches.

Variantes. Str.2,v.5: Ses yeux *luisant* sous...
Str.3,v.1: Do mi sol mi fa!
Str.3,v.4: *Passe* et *court* devant...
Str.6,v.3: *Les* jupes.

L'AMOUR PAR TERRE

Dans cette pièce qu'aucune particularité ne rattache au dix-huitième siècle, on remarquera des expressions qui se répètent en se modifiant (*le vent de l'autre nuit...*, *c'est triste de voir le piédestal...*), procédé cher à Poe et à Baudelaire.

Parmi: Archaïsme, dans le sens de *au milieu de*.

Variantes. Str.1,v.3: Sourit en bandant *cruellement...*
Str.2,v.4: Se lit péniblement *grâce à* l'ombre d'un arbre.

EN SOURDINE

Verlaine, habitué des concerts et ami de violonistes, connaît bien le timbre voilé et mélancolique du violon joué en sourdine. La note grave d'une fin de fête se prolonge en lassitude. L'emploi du vers heptasyllabe et l'absence de rimes féminines en renforcent le caractère d'étrangeté.

Voix de notre désespoir... La mélancolie est devenue plus profonde: dans *Fantoches*, le rossignol ne faisait que clamer la *détresse* de l'amant. A comparer avec la *Fête chez Thérèse*, où le rossignol chante simplement *comme un poète et comme un amoureux*.

Variantes. Str.4,v.3: Qui vient à *nos* pieds rider
Str.5,v.1: Et *lorsque l'automnal* soir
Str.5,v.3: *Plainte* de *mon* désespoir

COLLOQUE SENTIMENTAL

Variantes. Distique 5,v.1:

Comme mon cœur bat à ton nom seul? —Non.

Distique 6,v.2:

Où nous joign*ons* nos bouches! — C'est possible.

LA BONNE CHANSON

Ce recueil, dont l'impression à 590 exemplaires était achevée dès juin 1870, ne parut en librairie qu'en 1872 (chez Lemerre). Verlaine s'y montre fidèle aux formes consacrées. Aussi la *Bonne Chanson* fut-elle bien accueillie par les chefs de file de la poésie contemporaine. «Vos vers sont charmants», dit Leconte de Lisle. Banville remercia l'auteur du «délicieux bouquet de poétiques fleurs»; et Victor Hugo, en cette année terrible, qualifia le recueil de «fleur dans un obus». Pour Verlaine, la *Bonne Chanson* est, dans le «bagage volumineux» de ses vers, ce qu'il préfère «comme sincère par excellence et si aimablement, si doucement, si purement pensé, si simplement écrit» (*Confessions*).

La *dédicace manuscrite*, imprimée pour la première fois en 1897 dans la *Plume*, figure sur l'exemplaire que le poète offrit à Mathilde, un mois environ avant leur mariage. Cet exemplaire se trouve actuellement à la Bibliothèque Sainte-Geneviève (fonds Jacques Doucet).

Rappelons qu'à l'époque de la dédicace, Mathilde souffrait encore du «mal affreux» qui avait éloigné de son chevet son fiancé épouvanté: prudence excessive, dira-t-elle plus tard.

I

Cette pièce, qui présente la nature comme un décor d'épithalame, fut vraisemblablement composée au cours d'une villégiature à Fampoux (Pas-de-Calais) où Verlaine partit peu après le *coup de foudre*, sans demander congé à son chef de bureau (voir *Introduction*).

II

On remarquera les assonances dans la première strophe, et, dans la dernière, la rime intérieure au second vers. Verlaine, loin de vouloir éviter ces effets, semble les rechercher, s'autorisant de Baudelaire et de Poe.

De sa chanson bonne ou mauvaise. C'est peut-être à ce vers que Verlaine emprunta le titre du recueil, ainsi que le titre primitif des *Romances sans paroles*.

IV

Pour le fond biographique de cette pièce — la plus pathétique du recueil — nous renvoyons à l'*Introduction*. On y trouvera l'explication des *funestes pensées* du poète, qui font place à l'espoir d'accomplir le *devoir heureux*.

V

Entrelacement de deux thèmes qui alternent dans chaque strophe. Le premier prend la forme d'une invocation reprise dans les deux premiers vers de chaque strophe. Le second se présente comme un tableau du réveil de la nature, auquel chaque distique final ajoute un nouveau trait.

C'est peut-être à Villiers de l'Isle Adam que Verlaine emprunte ce procédé (cp. *A une enfant taciturne*, in *Le Parnasse contemporain*, 1866).

VI

Procédé analogue à celui de la pièce précédente, à ceci près que l'élément descriptif devient prépondérant et que l'invocation lyrique se réduit à un refrain, écho de celui de la *Promenade sur l'eau* de Pierre Dupont.

VII

Le décor réaliste de cette pièce (wagons, poteaux télégraphiques) ne fait point exception dans la *Bonne Chanson*: voir, au Nº XVI, les cabarets, la fange, les omnibus, les clubs, les murs suintants, les égouts, etc. Il semble légitime de supposer que la coupe des vers imite ici le rythme saccadé d'un train. C'est ici la veine «moderniste» de Verlaine.

Rhythme. Orthographe traditionnelle conservée par l'auteur.
Suavement. «Chute» caractéristique.

NOTES

VIII

Le charme insigne... des candeurs de cygne. Cf. *A Clymène*: «L'arome insigne De ta pâleur de cygne».

Un doux accord patricien. Coup d'encensoir aux Mauté qui avaient ajouté à leur nom la particule *de*.

IX

Portrait — moral plutôt que physique — de la fiancée et de sa petite sœur.

Imperceptiblement. Même «chute» que dans VII.

X

Pour le fond biographique de cette pièce, voir l'*Introduction*.

Variantes (t. I des *Œuvres Posthumes*). Titre: *Absente.*
v.4: On s'écrit, on se dit *comme on* s'aime...
v.6: De l'être en qui l'on *mit* son bonheur...

XI

La dure épreuve. La séparation et les remises successives du mariage.

Les jours d'alarmes. La maladie de Mathilde.

J'ai tu les paroles amères. L'effort que fit le poète, à l'époque de ses fiançailles, pour réprimer son amertume et son ironie.

XIV

Pièce intimiste dans le style de Coppée, ami du poète.

Impatient des mois [trop longs], *furieux des semaines* [trop longues]. Ellipse hardie du plus heureux effet.

XV

Crainte du «vieux moi» et des «mornes retours». Le poète a «presque peur» qu'un rien ne vienne anéantir son bonheur, son «immense espoir».

XVI

Comme le Nº XIV, cette pièce est un «Coppée».

La fange du trottoir. Toutes les éditions précédentes donnent *des trottoirs*, faisant rimer *trottoirs* avec *noir*. Verlaine ne se permettait jamais de faire rimer un singulier avec un pluriel. Nous avons donc rectifié cette coquille.

Le paradis au bout. Il s'agit de Montmartre. «Tous les soirs, dit le poète, à très peu d'exceptions près, durant les trois bons quarts d'une année, la même promenade, par quelque temps qu'il fît, m'amenait en ce Montmartre des fiançailles... J'allais dîner tous les dimanches chez les M... La *Bonne Chanson* «battait son plein», métaphoriquement et littéralement, et le cher petit bouquin s'augmentait de quelques vers chaque jour» (*Confessions*, 2me partie, ch. IX).

Le paradis est ici plus qu'une image: Verlaine espérait de son mariage le salut.

XVIII

Au thème du XVII s'ajoute ici une note politique: la dénonciation du régime de Napoléon III. «Vers un peu pompiers, dira le poète, quarante-huit au possible» (*Confessions*). Rappelons que Louise Michel, future «pétroleuse» de la Commune, avait donné des leçons à Mathilde.

L'extase austère du juste, qui semble, à première vue, annoncer *Sagesse*, n'est ici qu'une extase républicaine.

En citant la première strophe de cette pièce dans les *Confessions*, Verlaine a substitué *nous vivons* à *nous sommes*, et *ce siècle* à *cette heure*.

XXI

On notera qu'une césure après le cinquième pied, et marquée souvent par une rime ou assonance intérieure, divise en deux parties égales la plupart des vers de cette pièce: l'effet voulu par le poète est sans doute celui d'un balancement joyeux, en y ajoutant un rythme impair peu fréquent (pentasyllabe).

Le dernier vers du poème, et du recueil, rappelle, sans doute sciemment, certain passage du *Tableau*, conte assez libre de La Fontaine:

> L'Amour est étrange garçon...
> Dès qu'il entre dans la maison,
> Règles et lois en sont bannies,
> Sa fantaisie est sa raison.

ROMANCES SANS PAROLES

Ce recueil fut publié à Sens, en mars 1874, par les soins de Lepelletier (Imprimerie Maurice l'Hermite). L'exemplaire appartenant au Musée Britannique contient des corrections de la main de Verlaine, probablement les dernières qu'il y ait faites. Cet exemplaire fut acquis par le Musée en 1894 par l'intermédiaire de Dulau, libraire français de Londres, sur la recommandation probable des amis du poète qui l'avaient accueilli en Angleterre l'année précédente. En relisant son œuvre, la plume à la main, Verlaine semble avoir voulu corriger les nombreuses coquilles précédemment signalées à son éditeur. Mais il ne put, chemin faisant, s'empêcher de retoucher çà et là le texte de ses poésies dont la plus récente devait être vieille d'au moins vingt ans. Nous avons cru devoir, dans la présente édition, tenir compte de ces modifications de dernière heure, soit en les indiquant dans les notes, soit en les incorporant dans le texte.

Des autographes des quatre premières pièces sont joints à l'exemplaire d'épreuves conservé à la Collection Doucet. On en trouve des reproductions dans le *Paul Verlaine* de Richer.

ARIETTES OUBLIÉES

I

Pièce publiée pour la première fois le 18 mai 1872 (sous le titre *Romance sans Paroles*) dans la *Renaissance littéraire et artistique*. Dans une lettre du 2 avril, Verlaine remercie Rimbaud du «délicat envoi» d'une «Ariette oubliée, paroles et musique». Comme l'a fait remarquer M. Le Dantec, il s'agit là probablement d'une des «Ariettes oubliées» de Favart, qui figurent dans *Ninette à la cour* (1761). L'épigraphe de la pièce de Verlaine se retrouve, en effet, dans la scène VII, Acte II, de *Ninette*:

> Dans nos prairies
> Toujours fleuries,
> On voit sourire

Un doux Zéphire!...
Le vent dans la plaine
Suspend son haleine...

Variantes (Renaissance littéraire et artistique):
Str.2,v.5: *Cela fait*, sous l'eau qui vire,
Str.3,v.6: *Dans* ce tiède soir, tout bas?

II

Cette pièce fut envoyée à Blémont de Londres, le 22 septembre, sous le titre d'*Escarpolette*. Premier exemple, dans l'œuvre de Verlaine, de l'emploi du vers de neuf syllabes. A cette époque, sous l'œil de Rimbaud, il commence à «préférer l'impair». On remarquera aussi la persistance des «sensations mixtes»: *contour subtil des voix, lueurs musiciennes*, etc.

Variantes.
Str.2,v.3: Où tremblote *au milieu du* jour trouble (*Corr.* I, 295).
Str.3,v.2: Que s'en vont — cher amour qui t'épeures,
          Balançant jeunes et vieilles heures!...
          O mourir...

La virgule à la fin du vers 2 ne figure que sur l'exemplaire du Musée Britannique.

III

Pièce composée probablement à Londres. L'influence de Rimbaud y est très sensible, bien que l'épigraphe citée par Verlaine ne se trouve nulle part dans les écrits qui subsistent de Rimbaud. Une première épigraphe tirée de Longfellow (*It rains, and the wind is never weary*), figurant sur l'autographe de la Coll. Doucet, est rayée en faveur de la citation de Rimbaud. Le poème de Longfellow, *The Rainy Day*, avait été mis en musique en 1869 (comme *Birds in the Night* — voir plus loin) par Sullivan. Verlaine l'avait donc connu sans doute sous forme de *romance* chantée à quelque concert, à Londres.

Remarquer les assonances à l'intérieur du vers (*pourquoi, toits; s'écœure, cœur*) et l'absence de la rime au deuxième vers de la strophe.

A la fin du v.2, nous avons suivi la ponctuation de l'édition de 1874.

IV

Premier exemple, chez Verlaine, de l'emploi des hendécasyllabes : est-ce un signe de l'influence de Rimbaud, de Mme Desbordes-Valmore?

On reconnaîtra dans l'épigraphe (supprimée à partir de 1887) le premier vers de *Lassitude* (*Poèmes Saturniens*).

V

Cette pièce fut publiée d'abord, intitulée *Ariette*, dans la *Renaissance* du 29 juin 1872. La première strophe rappelle l'atmosphère de la *Bonne Chanson*.

L'épigraphe est empruntée à *Doléances*, de Petrus Borel (*Rapsodies*, 1832, ouvrage signalé par Baudelaire en 1861 et réimprimé en 1868).

Fin refrain incertain. On notera la répétition à intervalles progressivement éloignés, de la syllabe nasale, dans le genre d'une harmonique prolongée. C'est sans doute pour obtenir cet effet que Verlaine a remanié le *«vieux* Refrain incertain*»* primitif (*Renaissance littéraire et artistique*). Cette revue imprime *Refrain, Air, Chant*, avec des majuscules.

VI

Cette pièce — écho des *Fêtes Galantes* — devait d'abord s'intituler *Nuit Falote* (*dix-huitième siècle populaire*). Voir *Corr.* I, 84, nov. 1872.

Jamais las de la rime non attrapée. Verlaine se divertit ici à faire rimer les masculins avec les féminins.

Monsieur Los est une orthographe fantaisiste de *Lass* (Law), ministre sous Louis XV.

VII

Cette pièce fait pendant, par la forme, au Nº XI de la *Bonne Chanson*, mais cette fois le poète ne prévoit pas la fin de l' «exil».

Loin en allées. Cf. *Art Poétique* (*Jadis et Naguère*): *une âme en allée vers d'autres cieux...*
Dans l'édition originale, un tiret placé entre les distiques 4 et 5 divise ce poème en deux parties.

VIII

Paysage d'hiver qui date peut-être du voyage de Verlaine en Flandre en 1871–1872. Comme dans *Marine* (*Poèmes Saturniens*), il emploie ici le vers de cinq syllabes avec des rimes embrassées, mais cette fois uniformément féminines. Dans l'édition originale, le deuxième vers des strophes 1, 2, 4 et 6 n'est pas ponctué.

PAYSAGES BELGES: WALCOURT

Pièce datée de juin 1872 dans l'édition originale. Pourtant, les «bons juifs errants» passèrent à Walcourt au mois de juillet. Verlaine lit peut-être alors avec Rimbaud la légende du Juif errant renouvelée par Edgar Quinet et par Pierre Dupont (gravures de Gustave Doré): l'épigraphe manuscrite de *Bruxelles I* est empruntée à Dupont, qui donne au Juif errant le nom d'*Isaac Laquedem*.

CHARLEROI

Les Kobolds. Mauvais esprits des mines souterraines.
Nous avons cru devoir substituer au point-virgule qui suit le mot *s'étonnent* dans l'édition originale, le signe deux-points. Cela donne au verbe *s'étonner* le sens particulier d'*interroger*.

NOTES

BRUXELLES I

Cette pièce, ainsi que les deux suivantes, fut envoyée à Blémont de Londres, le 22 septembre 1872, quinze jours après l'arrivée de Verlaine en Angleterre. Dans sa lettre, il l'intitule *Simple Fresque* et ajoute: «Près de la ville de Bruxelles en Brabant — *Complainte d'Isaac Laquedem*» (*Corr.* I, 293). Voir note de *Walcourt*, plus haut.

BRUXELLES II

Royer-Collard. Philosophe doctrinaire, né en 1763, m. en 1845. Il représente aux yeux de Verlaine le type de la correction surannée.

Variantes. La copie du 22 septembre 1872 donne deux-points après *château* (str.2,v.4). Nous conformant aux corrections manuscrites de l'auteur, nous avons supprimé l's dans *Royers* et remplacé, à la fin du poème, *Auberge* par *Estaminet*.

CHEVAUX DE BOIS

Cette pièce, considérablement remaniée, fut réimprimée dans *Sagesse*.

Variantes.
Str.3,v.2: Tandis qu'autour de *votre tournoi* (ms. de 1872 et édition originale).
Str.6,v.1: Ponctuation du ms. de 1872.
Sous-titre de 1872: *Champ de foire de Saint-Gilles-lez-Bruxelles, août 1872.*

MALINES

Paysage dans le style de Van Gogh: château *rouge de brique et bleu d'ardoise, prés clairs, vagues frondaisons, blancs gazons.*

BIRDS IN THE NIGHT

Les neuf premières strophes furent envoyées à Blémont de Londres le 5 octobre 1872 (*Corr.* I, 301); mais il y a tout lieu de croire qu'à ce moment, elles étaient déjà entre les mains de Lepelletier (ibid. p. 46). Le poème tout entier fut achevé avant la fin novembre (p. 48). L'emploi du mot *geindre* (str.7), favorisé par Rimbaud, semble indiquer que la composition de ce poème se place au début du séjour de Verlaine à Londres. A la même époque, ce mot revient deux fois dans sa correspondance (pp. 39, 40). Le titre du poème est sans doute emprunté à une *romance* du célèbre compositeur, Arthur Sullivan: Verlaine le choisit dès le début de son séjour à Londres et de ses études anglaises. Il symbolise probablement pour le poète deux êtres qui ne se retrouvent que pour se quitter: le symbolisme de la romance anglaise est autre.

La première épigraphe, d'un «Inconnu», est évidemment le début de la pièce III de la *Bonne Chanson*. Le poème est composé d'après le modèle des *Chevaux de Bois* où alternent les strophes masculines et féminines. On remarquera que les césures y sont disposées de façon hérétique.

Str. 1. *De reste...* Leçon des deux premières éditions. Le *du reste* des éditions récentes, moins satisfaisant, semble être le fait d'une inadvertance.

Str. 9. *N'êtes-vous donc par toujours ma Patrie?* En octobre 1872, Verlaine opta, au Consulat Général de France à Londres, pour la nationalité française, sa ville natale ayant été annexée à l'Allemagne.

Str. 13 à 18. Récit poétique de la rencontre de Verlaine et de Mathilde à Bruxelles, le 21 juillet 1872. Dans une de ses lettres de novembre 1873 (*Corr.* I, 122), Verlaine affirme que c'est «l'histoire bien vraie de Bruxelles».

Str. 20. *Perdant l'espoir de nul confesseur.* Cet emploi de *nul* peut s'expliquer par la négation sous-entendue: *perdant l'espoir = ne pouvant trouver.*

Str. 21. *L'extase rouge du premier chrétien...* Déjà en l'automne de 1872, ce compagnon de Rimbaud montre qu'il n'a pas banni de sa pensée toute notion du catholicisme, des martyrs, etc... Passage important pour l'histoire de sa «conversion».

Variantes du ms. de 1872:

Str.3,v.1: Aussi me *voilà* plein de pardons...

Str.3,v.2: Non certes! joyeux, mais *bien* calme, en somme.

Str.3,v.4: D'être, grâce à vous, *un lamentable* homme.

Str.4,v.1: *Là!* Vous voyez bien que...

Str.5,v.4: Et de *votre* (souligné) voix vous...

Str.8,v.1: *Oui*, je souffrirai, *comme un bon soldat*

Str.8,v.2: *Blessé, qui s'en va mourir dans la nuit*

Str.8,v.3: *Du champ de bataille où s'endort* tout bruit.

Variantes de l'édition originale:

Str.4,v.4: Ne *couveraient* plus que la trahison. (La leçon du ms. de 1872 et du texte actuel est insérée à l'encre).

Str.7,v.2: Vous ne *m'aimez* pas, l'affaire est conclue. Bien que Verlaine ait demandé à Lapelletier en novembre 1873 (*Corr.* I, 119) de changer *aimez* en *aimiez*, lui-même n'a pas fait cette correction sur l'édit. origin., ni sur celle de 1887. La même lettre de novembre 1873 porte erronément *mettrai-je* au lieu de *mettrais-je*.

Str.12,v.2: Seule l'édition originale donne la parenthèse.

Str.16,v.1: Je vous vois *encor!* (sic) En robe...

Str.17,v.2: *Avait* reparue (sic) avec la toilette (*reparu* aurait fait hiatus!).

AQUARELLES

Poèmes d'inspiration purement anglaise. On en trouve le titre pour la première fois dans une lettre du 22 avril 1873 (*Corr.* I, 309).

GREEN

Verlaine a dû prêter à ce mot ainsi isolé un sens évocateur ou symbolique qui échappe à un lecteur anglais moderne. Savait-il que Shakespeare avait écrit: «Green indeed is the colour of lovers» (*Love's Labour's Lost*, I, ii)?

On pourrait rapprocher les vers:

> J'arrive tout couvert encore de rosée
> Que le vent du matin vient glacer à mon front

du début de la deuxième strophe d'un poème de Byron:

> When we two parted
> In silence and tears...
> The dew of the morning
> Sank chill on my brow...

Variantes. Str.3,v.1. *Entre vos jeunes seins* laissez... (Dans l'exemplaire du British Museum, la leçon définitive est en surcharge).

SPLEEN

Mot anglais employé au sens baudelairien. «*Spleen* ne signifie que *rate*, en anglais», constate Verlaine le vingt-six décembre 1872. Paysage anglais, sans doute, avec un *ciel trop tendre*, une *campagne infinie.*

STREETS

I

Thomas Gringoire, gastronome, journaliste et poète français de Londres, auteur de poésies sur la Tamise dont une fut attribuée à Verlaine, raconta dans le *Courrier de Londres* du 2 décembre 1911 la genèse de ce poème telle que l'auteur la lui avait révélée. Verlaine l'écrivit «un soir, à minuit, dans un bar qui se trouve à l'angle de Old Compton Street et de Greek Street: il ajouta que c'était le seul *public house* de Londres où l'on pût trouver pour deux pence un verre d'excellent vin blanc». (Il faut préciser qu'il n'y avait pas de bar à l'angle de Greek Street: il s'agit sans doute de Frith Street, où se trouvait l'«Hibernia Store»).

La *gigue* était alors en Angleterre presque une danse nationale. Verlaine la mentionne dans une lettre de septembre 1872 (*Corr.* I, 42).

Je me souviens, je me souviens... Verlaine a-t-il connu le poème de Hood: «I remember, I remember...»?

Soho. Quartier cosmopolite de Londres où Verlaine et Rimbaud se plaisaient le mieux et où se réunissaient alors les proscrits français.

II

Toujours prête, quand il s'agit de Verlaine, à crier aux hallucinations, la critique en a supposé une dans cette «vision fantastique». Ce n'est cependant qu'un paysage londonien découvert au cours d'une promenade dans le quartier de Paddington. La *rivière dans la rue* correspond sans doute au Regent's Canal, qui débouche du souterrain de Maida Vale et s'intercale ensuite entre Blomfield Road et Maida Hill. L'édition originale place cette «rivière» entre deux murs. Comme il n'y en avait qu'un, Verlaine crut devoir demander à Lepelletier (*Corr.* I, 118) de corriger le texte. Lepelletier n'en fit rien, et la correction dut être insérée à l'encre sur la page imprimée.

CHILD WIFE

Poème daté de «Londres, 2 avril 1873» (deux jours seulement avant le départ de Verlaine et de Rimbaud) et envoyé à Blémont de Jehonville le 22, sous le titre: *The Child Wife* (*Corr.* I, 311). Ce titre a pu être emprunté à un roman de Mayne Reid (1867). Le poème, tout en rimes masculines, rappelle le ton de *Birds in the Night*, quoiqu'il exprime encore moins d'indulgence.

O lamentable sœur... Rappelons le *pitoyable frère*, de Rimbaud, dans la *Saison en enfer*, composée à la même époque.

Variantes. Le titre nouveau, *The Pretty One*, écrit en surcharge sur l'exemplaire du Musée Britannique représente sans doute l'intention la plus récente de l'auteur. Nous gardons néanmoins le *Child Wife* primitif, devenu traditionnel. *The Pretty One* est peut-être l'écho de la chanson anglaise qui débute ainsi:

> My little pretty one,
> My pretty bonny one,
> She is a joyous one,
> And gentle as can be...

Str.2,v.3: Ont pris un ton de fiel, ô *déplorable* sœur (*Lettre à Blémont*).

Str.3,v.3: En poussant d'aigres cris, poitrinaires, hélas! (*Ibid.*)

Str.3,v.4. *Qui*, manquant dans l'édition originale, est inséré en marge dans l'exemplaire du Musée Britannique.

Str.5,v.1: Et vous n'*aurez* pas su la lumière et l'honneur (*Lettre à Blémont*).

A POOR YOUNG SHEPHERD

Envoyée à Blémont avec *Child Wife* en avril 1873, et écrite sans doute en février, cette pièce fait allusion à la fête de saint Valentin (14 février). La coutume anglaise veut que les amoureux échangent ce jour-là une valentine, c'est-à-dire une carte ou un keepsake contenant quelquefois des vers. Cf. cette chanson d'Ophélia:

> C'est demain Saint-Valentin:
> Je viendrai de grand matin
> Chanter dessous ta fenêtre:
> Ta valentine veux être.

Verlaine nous donne ici la première *valentine* française moderne, bien qu'au XVe siècle Charles d'Orléans en ait écrit pendant son emprisonnement à la Tour de Londres. L'ami de Verlaine, Germain

Nouveau, publiera tout un volume de *valentines* n'ayant aucun rapport avec cette coutume anglaise.

Kate a peut-être inspiré d'autres *Aquarelles*. Est-ce elle que le poète prétend un moment vouloir épouser (*Corr.* I, 82)? *Abeille* fait songer à la *Mégère Apprivoisée* (Acte I, sc. I) où l'héroïne, qui porte le nom de Kate, s'écrie: «Si je suis une guêpe, gare à mon dard!»

BEAMS

Souvenir de la traversée du 4 avril 1873, en compagnie de Rimbaud.

Le titre *Beams* est difficilement explicable. Peut-être le poète, qui parle de *rayons d'or dans ses cheveux blonds*, a-t-il confondu avec *gleams*.

Dans sa lettre de remerciement à Lapelletier pour les *Romances* enfin parues, Verlaine lui demande de corriger à la main les coquilles les plus affligeantes, surtout celles, nombreuses, de *Beams* (*Corr.* I, 134). Ces corrections figurent sur l'exemplaire du Musée Britannique. A la leçon primitive du dernier vers: *en portant haut la tête*, l'auteur substitue *et portait haut la tête*, qui est «4.000.000 fois meilleur» (*Corr.* III, p. 109). *Sa tête*, leçon des autres éditions, ne se rencontre dans aucun manuscrit.

Le chemin amer... Voyez le sortilège poétique qui fit du trop banal *gouffre amer* cette nouvelle alliance de mots, riche de sens.

CHRONOLOGIE VERLAINIENNE

1844, 30 mars: Paul-Marie Verlaine naît à Metz, du capitaine de
génie Nicolas Verlaine, originaire du Luxembourg belge, et
d'Elisa-Julie-Josèphe-Stéphanie Dehée, née en 1809 à Fampoux
(Pas-de-Calais).

1845: Séjour à Montpellier.

1848: Séjour à Nîmes.

1850: Retour à Metz.

1851: Le capitaine Verlaine démissionne; la famille s'installe aux
Batignolles.

1853, [17 avril: Naissance de Mathilde Mauté]. Octobre: Paul
pensionnaire à l'institution Landry.

1854, [20 octobre: Arthur Rimbaud naît à Charleville].

1855, Octobre: Entre au lycée Bonaparte (aujourd'hui Condorcet).
Deuxième prix du premier semestre (premier en orthographe).
Remarque du professeur: «se néglige depuis quelque temps».

1857: Premier prix de version latine. Remarque générale: «exemplaire».

1858: Verlaine envoie ses premiers vers (*La Mort*) à Victor Hugo. Son
professeur observe: «La mollesse de cet élève nuit beaucoup à son
progrès».

1859: [Publication du premier fascicule de l'*Art du XVIII*e *siècle* des
Goncourt]. En troisième, Paul devient condisciple d'Edmond
Lepelletier, son futur biographe. Avant la fin de cette année, à
en croire les *Confessions*, il achève les *Poèmes Saturniens*.

1862: Reçu au baccalauréat avec une «blanche» en version latine.

1863, Août: *Monsieur Prudhomme*, signé: *Pablo*, paraît dans la *Revue du
Progrès*. Verlaine fréquente le salon de la marquise de Ricard, y
rencontre Banville, Heredia, Coppée, Mendès, Villiers de l'Isle-
Adam.

1864: Après un stage dans une compagnie d'assurances, Verlaine devient expéditionnaire à l'Hôtel de Ville, à 1500 frs par an.

1865, Novembre: Verlaine publie dans l'*Art* un article à la fois enthousiaste et judicieux sur Baudelaire. 30 décembre: Mort du capitaine Verlaine.

1866: Quelques pièces de Verlaine paraissent dans la première livraison du *Parnasse Contemporain*.

1867: *Poèmes Saturniens*. Février: Mort d'Elisa Moncomble. *La Gazette rimée* publie deux premières *fêtes galantes*.

1868: Visite chez Victor Hugo à Bruxelles. 1er janvier et 1er juillet: *L'Artiste* publie deux séries de *fêtes galantes*.

1869, Mars: *Fêtes Galantes*. Juin: Rencontre avec Mathilde Mauté. Juillet: Il use de violences envers sa mère. Automne: Fiançailles.

1870, 12 juin: Achevé d'imprimer de la *Bonne Chanson*. Maladie de Mathilde. 19 juillet: La France déclare la guerre à la Prusse. 11 août: Mariage de Verlaine et de Mathilde Mauté célébré à Notre-Dame de Clignancourt. [25 août: première réaction de Rimbaud à la poésie de Verlaine: «fort bizarre, très drôle, et vraiment... adorable!»]

1871: La deuxième livraison du *Parnasse Contemporain* contient six pièces de Verlaine. Eté: Chef du bureau de la presse de la Commune, Verlaine s'installe chez ses beaux-parents, reste sans occupation après l'incendie de l'Hôtel de Ville. Fin août: Première lettre de Rimbaud à Verlaine. Réponse de Verlaine: «Venez, chère grande âme, on vous appelle, on vous attend!» 10 septembre: arrivée de Rimbaud chez les Mauté. 30 octobre: Naissance de Georges Verlaine.

1872, 7 juillet: Verlaine quitte définitivement sa femme, part pour Arras avec Rimbaud, puis en Ardenne et en Belgique. 21 juillet: Mathilde et sa mère partent pour Bruxelles dans l'espoir de ramener Verlaine. Episode des *Birds in the Night*. Verlaine leur fait faux bond à la frontière, reprend son séjour en Belgique avec Rimbaud. 7 septembre: Ils s'embarquent à Ostende pour Douvres. Arrivée à Londres, promenades et visites. 4 octobre: Verlaine sollicite l'intervention de Victor Hugo auprès de Mathilde. Assignation en séparation. Verlaine opte pour la nationalité française. Il s'installe avec Rimbaud, 34-35 Howland Street. 13 novembre: Le poème *Des Morts* paraît dans l'*Avenir*, journal communard de Londres. Début de décembre: Rimbaud rentre en France. Verlaine fête la Noël «chez insulaires».

1873, Janvier: Maladie. Sa mère accourt, puis Rimbaud. Promenades, lectures, travaux littéraires, querelles. 24 mars: Verlaine obtient une carte de lecteur au British Museum. Rimbaud obtient une carte analogue le 25 du même mois. 4 avril: Traversée à Ostende. Rimbaud retourne chez sa mère le 11. Le 15, Verlaine est à Jehonville (Luxembourg belge) avec l'intention de retourner bientôt à Londres. Il implore Lepelletier de publier les *Romances sans paroles* avant le procès en séparation. 27 mai: Verlaine et Rimbaud arrivent de nouveau à Londres, s'installent 8 Great College Street, Camden Town. Promenades, leçons de français «par deux gentlemen parisiens». 3 juillet: Querelle. Verlaine part brusquement pour Anvers, laissant Rimbaud sans ressources. Arrivé à Bruxelles, il déclare qu'il va se tuer si sa femme ne revient pas. Sa mère accourt. Rimbaud arrive le 8. 10 juillet: Verlaine blesse Rimbaud d'un coup de revolver. Arrestation. 19 juillet: Rimbaud renonce formellement à toute action contre Verlaine et, rentré chez sa mère, achève la *Saison en enfer*. 8 août: Verlaine condamné à deux ans de prison (peine maxima) pour coups et blessures. 25 octobre: Transféré de Bruxelles à la prison cellulaire de Mons. Il presse Lepelletier de publier les *Romances*. Novembre: Il reçoit des spécimens du recueil.

1874, 27 mars: Verlaine reçoit en prison des exemplaires des *Romances*. 24 avril: Le tribunal de la Seine prononce la séparation des époux Verlaine. 15 août: «Conversion».

1875, 16 janvier: Verlaine sort de prison. Dernière rencontre avec

Rimbaud à Stuttgart; rupture. S'installe, le premier avril, professeur de français et de dessin à la Grammar School de Stickney, Lincolnshire. Il y rédige *Cellulairement*, compose plusieurs pièces destinées à *Sagesse*, étudie la littérature anglaise, correspond avec des amis de France, dont Rimbaud (jusqu'au mois de décembre).

1876, Début de juin: Verlaine quitte définitivement le Lincolnshire. Professorat au Collège Saint-Aloysius à Bournemouth.

1877, Septembre: Professorat au Collège Notre-Dame de Rethel.

1878, Janvier: *Les Effarés* de Rimbaud (sous le titre de *Petits Pauvres*) paraissent dans le *Gentleman's Magazine*, probablement par les soins de Verlaine qui détient les manuscrits de Rimbaud.

1879, Août: Verlaine quitte Rethel, part en Angleterre avec son élève préféré, Lucien Létinois.

1880, Janvier: Ramène Lucien chez ses parents à Coulommes. Octobre: Publication de *Sagesse*

1882: Verlaine tente de reprendre son poste à l'Hôtel de Ville, sans y réussir. 10 novembre: *Art Poétique* paraît dans *Paris-Moderne*.

1883, 7 avril: Mort de Lucien Létinois. Verlaine mène une vie vagabonde.

1884, Avril: *Poètes Maudits*.

1885, Janvier: *Jadis et Naguère*. Mars: Seconde incarcération de Verlaine, à Vouziers, pour coups et blessures contre sa mère. Novembre: Entre à l'hôpital Broussais.

1886, 21 janvier: Mort de la mère du poète. Mathilde épouse en secondes noces M. Delporte. *Mémoires d'un veuf*.

1888, 20 mars: *Amour*.

1889, 20 juin: *Parallèlement*.

1890, 22 décembre: *Dédicaces*.

1891, 20 mai: Première représentation de *Les Uns et les Autres*, au Théâtre d'Art. 9 juin: *Bonheur*. 20 juin: Premier *Choix de Poésies*. [10 novembre: Mort de Rimbaud à Marseille]. 26 décembre:

Chansons pour Elle. En réponse à une enquête littéraire, Verlaine désavoue les Symbolistes.

1892, 10 janvier: *Mes Hôpitaux*. 16 avril: *Liturgies Intimes*. Novembre: Conférences en Hollande.

1893: Conférences en Belgique. 5 mai: *Elégies*. 6 mai: *Odes en son honneur*. 3 juin: *Mes Prisons*. 10 octobre: Candidature à l'Académie. Novembre: Conférences à Londres, Oxford, Manchester. *Quinze jours en Hollande*.

1894: Plusieurs poèmes et articles de Verlaine paraissent dans des périodiques anglais. 26 mai: *Dans les Limbes*. Juillet: *Notes on England* (*Fortnightly Review*), Août: A la mort de Leconte de Lisle, Verlaine est élu «prince des poètes». Un comité s'organise (Maurice Barrès, Sully Prudhomme, Coppée, Richepin) pour servir une pension de 150 frs par mois au poète tombé dans la misère. Octobre: *Madame Aubin*, comédie en un acte, représentée au café Procope. 15 décembre: *Epigrammes*.

1895, Mars: Secours officiel du Ministère de l'Instruction Publique. *Confessions*.

1896, 8 janvier: Verlaine meurt à Paris, 39, rue Descartes. 10 janvier: Obsèques à Saint-Etienne-du-Mont. *Chair. Invectives*.

1903: *Œuvres posthumes*, t. I.

1913: *Biblio-sonnets. Œuvres posthumes*, t. II.

1922: *Correspondance*, t. I.

1923: *Correspondance*, t. II.

1926: *Œuvres oubliées*, t. I.

1929: *Œuvres oubliées*, t. II; *Œuvres posthumes*, t. III; *Correspondance*, t. III.

BIBLIOGRAPHIE SOMMAIRE

Adam, A.
 Le vrai Verlaine, 1936.
 Verlaine, l'homme et l'œuvre, 1953

Bornecque, J.-H.
 Etudes verlainiennes: Lumières sur les Fêtes Galantes, 1959.

Coulon, M.
 Au cœur de Verlaine et de Rimbaud, 1925.
 Verlaine, poète saturnien, 1929.

Cuénot, C.
 Etat présent des études verlainiennes, 1938.
 'Nouvel état présent des études verlainiennes' (*L'Information littéraire*, sept.-oct. 1956).
 Le style de P. Verlaine, 1963.

Delahaye, E.
 Verlaine, 1919.
 Documents relatifs à Verlaine, etc...., 1919.

Dullaert, M.
 L'affaire Verlaine, 1930.

Dupuy, E.
 Poètes et critiques, 1913.

Ellis, Havelock
 From Rousseau to Proust, 1936 (Londres).

Fontainas, A.
 Verlaine-Rimbaud, 1931.

Fontaine, A.
 Verlaine homme de lettres, 1937.

Godchot, le Colonel
 'La rencontre de Verlaine et de Rimbaud' (*Ma Revue* n⁰ 67, 1937)

Izambard, G.
 'Licences poétiques de Verlaine' (*Belles-Lettres*, janv. 1921).

Lepelletier, E.
Paul Verlaine, 1907.

Martino, P.
Verlaine, 1924, 1951.

Montel, F.
Bibliographie de Verlaine, 1924.

Montel, F. et Monda, M.
Bibliographie des Poètes Maudits, 1927.

Mouquet, L.
Rimbaud raconté par Verlaine, 1934.

Nadal, O.
Paul Verlaine, 1961.

Porché, F.
Verlaine tel qu'il fut, 1933.

Richard, J.-P.
Poésie et Profondeur, 1955.

Richer, J.
Paul Verlaine, 1953.

Roberts, C. B.
Paul Verlaine, 1937 (Londres).

Saffrey, A. et Bouillane de Lacoste, H. de
'Verlaine et les «Romances sans Paroles»' (*Mercure de France*, 1er août 1956).

Tournoux, G.-A.
Bibliographie verlainienne, 1912.

Underwood, V. P.
'Chronologie verlainienne' (*Rev. d'Hist. de la Philos.*, janv. 1938).
'La maison de Verlaine à Londres' (*Nouv. Litt.*, 1er oct. 1938).
'Verlaine et Coppée, traducteurs de Shakespeare' (*Nouv. Litt.*, 14 janv. 1939).
'Chronologie des Lettres anglaises de Verlaine' (*Rev. de Littérature comparée*, juill.-sept. 1939).

'Verlaine lycéen' (*Rev. d'Histoire litt.*, 1952, p. 367).

'Le Carnet personnel de Verlaine' (*Rev. des Sciences humaines*, 1955, p. 177).

Verlaine et l'Angleterre, Paris, 1956.

'Sources théâtrales de Verlaine' (*Rev. d'Hist. litt.*, avril–juin 1957).

'Quelques «correspondances» chez Verlaine' (*Rev. des Sciences humaines*, janv.–mars 1960).

'Les *Fêtes Galantes* de Verlaine' (*Rev. d'Hist. litt.*, janv.–mars 1962).

Van Bever, A.
La vie douloureuse de Verlaine 1926.

Van Bever, A. et Monda, M.
Bibliographie et Iconographie de Verlaine, 1926.

Verlaine, ex-Mme M.
Mémoires de ma vie 1935.

Verlaine, Paul
Pauvre Lelian (*Poètes Maudits*, 2e édition), 1888.
Les Hommes d'aujourd'hui 1886.
Mes Prisons 1893.
Confessions 1895.
Correspondance (éd. A. van Bever) 1922, 1923, 1929.
Sagesse (Edition du Centenaire, avec un portrait, introduction et notes de V. P. Underwood, 1944).

Zayed, G.
La Formation littéraire de Verlaine, 1962.

Zimmerman, E.-M.
Magies de Verlaine, 1967.

TABLE DES MATIÈRES

LA BONNE CHANSON

ROMANCES SANS PAROLES

Article ~~entitled~~
and

Next week

rest of poem in 'pursue Bridge.

+ Green ~ Street